人類2.0

アフターコロナの生き方

小林慎和

プレジデント社

Prologue

見通せない世界が迫ってきたとき、あなたはなにを考えましたか？

いま、この原稿を書いているのは、2020年の6月です。毎日、新型コロナウイルスに関する様々なニュースが国内外から飛び込んできますが、わたしはそれらのニュースを読み漁っています。それこそ、朝から晩まで──。

そして、知人、友人、ビジネス仲間と議論し、分析に分析を重ねています。SNSを通じて拡散されてくる情報のなかにはフェイクニュースも多々あり、デマには十分に注意しながら。

今回の「コロナショック」によって、今後の世界の見通しはますます不透明になっています。コロナショックの前に起きた記憶に新しい経済危機は、2008年の「リーマンショック」であり、2011年の「東日本大震災」だと思います。この10年、わたし自身、前の危機からの脱却、新たな未来の創造に向けて生きてきました。

東日本大震災の翌年となる2012年の末に、わたしは起業しました。起業の地に選んだのはシンガポール。そこから国内外でいくつかの会社を起業してきました。イノベーションピッチイベントのプロデュース、ECサイト、飲食業、仮想通貨取引所、動画広告プラットフォーム、コワーキングスペース、そして実名制とリアルな関係性を重視したSNSの構築など多岐にわたります。

新たな事業を起こすとき、いつも心血を注いでいることがあります。

この先の未来はどうなっていくのか。いや、自分たちの手で、どのような未来をデザインするのか。その「未来のビジョン」を想像することです。

そして、描いた未来をどこまでも信ずることで、事業を推進させていきます。

事業を進めていくなかでは、予想外の危機がいくつも立ちはだかります。危機とはいつも、想定外のところからやってきます。**いや、想定外だからこそ、それは危機になる**のでしょう。

そしていま、世界規模で想定外の危機が訪れています。

アフターコロナの世界がどうなるのか？
わたしたちは、アフターコロナの未来をどうデザインしていくべきなのか？

過去の出来事から学び、ありとあらゆる情報を収集することで現在の状況を把握し、分析する。そうしたうえで未来を想像する。そして、想像した未来から、「いま」なにをするべきかを導き出す。

世界規模で同時期に急速に起こったこの危機を乗り越えるために必要なのは、未来を想像する力だと考えます。

地方の飲食店のオーナー、大都会・東京で働くビジネスパーソン、ベンチャー企業の経営者、地方に住む農業従事者、外資系企業で働くビジネスパーソン、大企業の経営者、公務員、派遣スタッフ、学生、子を持つ親たち……。それらの人たちの目の前に広がる景色がどのように変わっていくのか。その未来を想像し、打つ手を共有する。それぞれの立場を想像し、それぞれの人の目線に立って、アフターコロナの世の中を見据えていくしかありません。

この10年、スタートアップ企業を経営していくなかで、常に未来をどうデザインしていこうかと想像してきました。その想像力をアフターコロナに向け、本書でその考えをまとめています。

ところで、コロナショックはいつまで続くのでしょうか？

結論としては、最低でも2021年夏までは続くのではないか。わたしはそう睨《にら》んでいます。2021年に延期された東京オリンピックの開催もむずかしいかもしれない。わたし自身は、その予測のもとで動くつもりですし、すでにそうしています。

その結論に至る最大の根拠は、「ワクチンの一般への普及の時期」にあります。今回のウイルスでもっとも厄介なことは、「潜伏期間の長さと無症状な感染者の存在」でしょう。この特性がある以上、ワクチンがないなかで一時的に新規感染者が減少しても、外出や経済活動を完全に元通りにすることはできません。抗体検査により、すでに抗体を持つ人も確認されてきましたが、世界規模での実態把握には至っていません。

人類の叡智《えいち》を結集することで、ワクチンは今年中にはきっと開発されると思います。でも、それを全世界の77億人いる人類すべてに配るほど大量に生産し流通させるには、1年から1年半はかかるでしょう。

そう覚悟を決める必要があります。最悪の事態を想定し、最善を尽くす。これしかありません。

いつ、以前のような世界に戻ることができるのか？

２０２０年３月下旬頃、わたしは常にそのことを考えていました。いつになれば、夜明けが来るのか、と。

しかし、それからの出来事を見ていくにつれ、考えが変わりました。

アフターコロナにやってくるのは、〝新世界〟なのです。

もう、元のような世界に戻ることはないのです。

このウイルスは、わたしたちを「人類２・０」に変えようとしています。

Prologue

目次

第2章 ビジネス2.0 83

第3章 お金2.0

第4章 人類2・0

第1章

働き方2.0

コロナがもたらした、「働き方の変革」

２０１６年より、たくさんの場所で議論がはじまった「働き方改革」。この改正案はどういった改革を目指していたのか、詳細にわかりますか？

実際に、みなさんのまわりではどんな変化があったでしょう。すぐに思いつくのは、時間外労働の制限だと思われます。つまり、サービス残業をなくそうとする動きです。ほかにこの改革で議論されたのは、フレックスタイム制の見直しであったり、高度プロフェッショナル制度の創設であったり、年次有給休暇取得の義務化などでした。そこには、働きやすさを目指した改正が多く盛り込まれました。

働き方改革は、労働基準法をはじめとする８つの法律の改正案で、２０１９年４月１日より順次施行されています。

新型コロナウイルスという突然の〝刺客《しかく》〟が現れたことで、働き方改革が施行されたことなど記憶の彼方かもしれません。コロナショックが来る前に、「働き方が変わった」と感じていた人はどれほどいたでしょうか？　ここ10年の経済的な大きな転換期も同様です。それこそ、**「リーマンショック」にしても、「東日本大震災」にしても、わたしたちの働き方そのものを大きく変えたものはありません**でした。

世界中の数十億人とつながることができるスマートフォンを片手に、わたしたちは毎日毎日、時間をかけて通勤していました。通話やメール、チャットはもちろんのこと、アプリをインストールすればオンラインミーティングすら可能なのに、会社でのミーティングや取引先とのミーティングのために、または資料作成のために、くたくたになりながら通勤していました。

イベントや交流会にだって、わざわざ時間をかけて通っていたことでしょう。

しかし、新型コロナウイルスの感染拡大を受けて、外出を自粛しなければならなくなったり、人となるべくリアルで会わないようにしたりしました。それだけのきっかけで、わたしたちの働き方は信じられないスピードで激変したのです。そして、企業も社会も、大きく変わりました。

これは改革ではありません。

改革とは、基盤を維持しつつ制度などをあらため変えることを指します。

新型コロナウイルスがわたしたちにもたらしたものは、「働き方の変革」です。

ミーティング、時間の使い方、人間関係の築き方、営業、マネジメントなど、ありとあらゆる面で、その変革が起きはじめたのです。

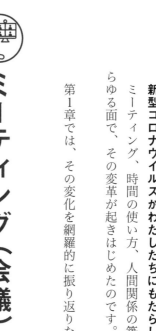

第1章では、その変化を網羅的に振り返りながら、これからの施策を考えていきます。

ミーティング（会議）

これからはオンラインがスタンダードになる

複数の人が関わるプロジェクトを進めていくためには、いわゆる、ミーティング（会議）が必要不可欠です。

コロナ以降、すでにオンラインミーティングでものごとが進んでいる企業も多いと思います。それこそ、今後はより、不要不急の対面でのミーティングは排除されていくでしょう。本書を執筆している2020年6月現在は、慣れないなかでオンラインミーティングをしている人もいるはずですが、これはもう、「あたりまえのもの」となっていきます。

2020年4月7日に政府から緊急事態宣言が出てからの1カ月だけを考えてみても、多い人ではオンラインミーティングを100回以上体験したかもしれません。

それはいま、**日本全国で起こっている——起こっていくであろう、事実**です。想像してみてください。1日に、何時間のオンラインミーティングが行われているのかを。日本で働く人は約6700万人いるとされます。もちろん、オンラインミーティングをまったく活用しない職種もあるかもしれません。

しかしたとえば、その働く人のうちの1000万人が、毎日1時間のオンラインミーティングを1カ月したと仮定しましょう。すると、日本国内だけで3億時間が、パソコンなどを通じてのオンラインミーティングで使われるということになります。

これだけの膨大な時間が使われているとなれば、これはもう完全なまでにビジネスの「習慣」に変わるでしょう。固定電話を使わずに携帯電話を使いはじめたように——あるいは、FAXを使わずにメールを使いはじめたように——。

「対面ではなく、オンラインでミーティングをしよう」
そのように、人々の思考が変わります。

コロナ以前でも、海外と取引する企業やスタートアップ企業同士の場合であれば、それなりにオンラインミーティングが行われてきました。しかしこれからは、大手企業、レガシー企業でも、普通にオンラインミーティングをするようになるでしょう。この事実は、大きな意味を持ちます。

なぜなら、出入りの下請け企業やフリーランスも、クライアントである大手企業などに合わせたスタイルに変えていく必要があるからです。**クライアントがオンラインミーティングをするなら、下請けはそのスタイルに合わせるのは必然**です。

これからのわたしたちは、ミーティングの最初のオプションとして「じゃあ、まずはオンラインミーティングをしませんか？」とお互いに提案し合うでしょう。そこに、なんの躊躇《ちゅうちょ》もなく。

オンラインミーティングで対応しているいまの状況は、一過性のものではありません。これはもう、スタンダードになるのです。

対面
リアルで会うことは〝特別な行事〟？

ミーティングをオンラインですることがあたりまえの世の中になっても、対面のミーティングがなくなるわけではありません。

なくなりはしませんが、**その時間はとてつもなく重要で、貴重な時間**となっていきます。

いままでだって、たとえば国をリードするようなトップ企業の社長と会う機会がもしあるとするならば、それはとてつもなく貴重な時間でした。しかしこれからは、どんな役職のどんな人であっても、対面で会う時間は「この機会は貴重だ」と双方が判断した時間という認識になります。


「まずはオンラインミーティングで」ということが習慣化したなかで、対面で会おうとすることは、時間効率がかなり悪いものという前提で扱われます。たとえば、前後の移動に1時間以上、そして、ミーティングにも1時間。時間だけでなく、交通費というお金もかかる。それだけでなく、気候も関係してきます。大雨の日、震えるような寒さの日、40度にもなるような猛暑の日……。

リアルで会うことの価値を、人はしっかりと判断するようになります。

これから、人は仕事上のほとんどのことに関して、デバイスを活用したオンラインミーティング、または通話でこなすようになります。

クライアントの社長との重要な会議も、入社試験の最終面接も、オンラインで行う時代がすぐ目の前にきています。

「わざわざリアルで会うとはどういうことなのか？」

リアルでなければできないこと。

リアルでなければ進まないこと。

リアルでなければ終わらないこと……。

いくらオンラインミーティングが浸透しても、たとえばこんな考えを持っている人もいるはずです。

「営業は、やっぱり対面で説明しないと受注できませんよ」

では、「リアル対オンライン」という図式を、生産性の観点から考えてみましょう。

【リアル営業の場合】
・移動時間30分
・お客様とのミーティング1時間
・移動時間30分
合計2時間で、仮に3人で訪問すれば計6時間。加えて、3人分の交通費もかかる。

【オンライン営業の場合】
・お客様とのミーティング15分
・ミーティングを受けて社内で対応策を30分協議
・(再び)お客様とのミーティング15分
合計1時間で、交通費はかからない。

後者のほうが、生産性が高いのはあきらか。**経営的な視点でも、わざわざリアルなミーティングをしなければ受注できない営業マンは不出来と評価される**ようになるでしょう。

ビジネスにおける重要なファクターのひとつは、スピードです。
営業する側も営業される側も、意思決定までのスピードを早くしたいと思うのは当然のこと。リアルなミーティングを行うために30分の時間を提示され、しかも数人で訪問される企業の担当者側に立って考えてみると、スケジュールに入れ込むミーティングの長さは1時間が基本となるでしょう。実際のミーティングは30分だったとしても、「予定」として1時間を確保するのは、どう考えても効率がよくありません。

コロナ以降、おそらく数千万人単位のビジネスパーソンが、オンラインミーティングをデファクトスタンダード（事実上の標準）としています。もう、この抜群なまでの効率のよさから、非効率な世界に戻ることはできません。いまあなたは、友人と連絡を取る際にライン（LINE）からメールに戻すことができますか？　おそらくできないはずです。

人は、便利なものに触れたら、不便なものに関心を示さなくなります。人間は学習能力が高い生き物ですから、それが当然ですし、それでいいのです。電車を乗り継いで、階段を上り下りして、リアルのミーティングをしに行くことは少なくなると断言できます。

アフターコロナをイメージしてみます。きっと、大企業ならこんなことが起きるでしょう。営業なり、ミーティングなりのスケジュールを設定し、それをクライアント先のオフィスで実施しようとしたとします。すると、上司から注意を受けるでしょう。

「わざわざ客先に行ってミーティングする理由は？　効率が悪くないか？」

大企業では、きっと「対面ミーティングによる外出申請」のワークフローが生まれます。ですから、対面のないスタイルへの適応を進めていかねばなりません。ここでもう一度、先ほどと同じ問いかけをします。

「わざわざリアルで会うとはどういうことなのか？」

単身者なら、友だちや恋人にはリアルで会いたい。家族がいれば、子どもや妻にはリアルで会いたい。親が健在なら、親にだってリアルで会いたい。誰もが抱く気持ちです。

では、オンラインミーティング中心でも仕事が滞《とどこお》りなく進むなかで、クライアントや同僚とリアルで会いたいのはどんなときでしょうか？

これからは、フィジカルな部分で接する必要がないものは、リアルで会う必要性はほとんどなくなると思います。

リアルで会うとするならば、それはもうロジカルな理由ではなく、情緒的なものになるのでしょう。

プロジェクトが終わったから今回の仕事のメンバーで飲みに行きたい。たとえばですが、そんな理由です。「ミーティング2・0時代」の〝ルール〟が確立されるにつれ、リアルで会うロジカルな理由はどんどん消えていきます。

「いや、そんなことはない。リアルなミーティングがなくなるはずはない。対面でなければ伝わらない想いはある」

その気持ちも理解できます。なぜなら、これまで人々はずっとそうやって仕事をしてきたからです。

繰り返しますが、リアルで会いたいというのはあくまでも情緒的なもの。いわば、生理的な感覚に過ぎません。一方、「オンラインミーティングでもきちんとコミュニケーションを取りながら案件を進められる」と考える人もいます。そして、そのスタイルが定着する。それでも、会って話がしたいと思う人もいる。

そう考えると、オンラインミーティングの波にのまれながらもリアルなミーティングは生き残るのでしょう。数は減っても、なくなることはないはずです。しかしながら、**リアルで会うミーティングは〝特別な行事〟のようになっていく**でしょう。

リアルでミーティングを行うのは、「直接、相手に会いたい」から。

そこに、ロジカルな理由は存在しません。

時間

移動がなくなり細切れのスケジュールになる

これからは、ビジネスにおける時間の使い方や単位時間も変わっていきます。

そこで考えてみたいのですが、平均的な打ち合わせの長さはどのくらいでしょうか？

コロナ以前であれば、この質問の答えでもっとも多いのは1時間ではないでしょうか。その次にくる答えが、30分か1時間30分だと推測します。

オンラインミーティングでものごとを進めることが習慣化されると、単位時間も変化します。ミーティングの時間は15分、長くて30分が平均的な長さになるとわたしは考えます。

そして、こんな変化が訪れます。

1日の時間の使い方は、これまで以上に細切れになる。

もちろん、コロナ以前においての常識だったリアルなミーティングでも、社内のミーティング時間の短縮化が叫ばれてきた企業はあるでしょう。それでも、これまではミーティングの短時間化にかなり苦労し、何度も社内で喧伝《けんでん》せねばならなかったはずです。しかし、オンラインミーティングにシフトすることで、自然と短時間になっていくのです。

その理由はとても簡単で、社内においても移動時間がないため、どこのフロアにいても「すぐにミーティングがはじめられる」からです。途中でミーティングをいったん切ったとしても、またすぐに再開できます。ワイファイ（Wi-Fi）環境が整っていて、従業員がノートパソコンを持ち歩いていれば、社内のどこにいてもミーティングができます。

朝一番で15分のオンラインミーティングをしたら、案件ごとにチャットでのやりとりをする。ランチ休憩を挟んで、再びチャットでのやりとり。夕方になったら、15分のオンラインミーティング。**ビジネスチャットの導入によって、コミュニケーションは非連続に、断続的に進むようになっています。腰を据えて話し合うという場面は、どんどん少なくなっていく**でしょう。

コロナ以降、ますます時間の使い方は変わっていくにちがいありません。

また、社外的なことに目を向ければ、こんなことも普通になります。朝にオンラインでクライアントと30分のミーティングをしたとして、同じ日の夕方にまた同じメンバーとのオンラインミーティングをセッティングする。

以前なら、同じ日に同じクライアントと二度もミーティングするなんて考えられませんでしたよね？　なぜなら、**ミーティングをするまでの（移動を含めた）準備コストが高かった**からです。この準備コストは、主に時間です。移動時間というのは、目的を果たすためにどうしても削ることができなかったコストでした。

オンラインミーティングが習慣化された社会では、準備コストがゼロに近づきます。ですから、1日に何度でもミーティングの開催が可能です。

そもそも論ですが、ミーティングはテーブルに着き対面で腰掛けてするものと誰が決めたのでしょうか？

日本では、江戸時代までは畳の上にあぐらをかくか、正座でミーティングをしていたそうです。明治時代に欧米の文化が入ってきたことで、椅子とテーブルの使用がはじまります。それから100年以上が経ったいまも、そのスタイルがメインなのです。

世界で40億人以上がスマートフォンを持ち、モバイルインターネット環境下にある2020年においても、ミーティングといえばテーブルに着き対面で座るスタイルを思い浮かべてしまう。**「ミーティングスタイル2・0」をこれまで生み出してこなかったことが問題**だと思うのです。

これからはもう、**対面で会う必要はありません。会うためだけに移動することもありません。自分がいたい場所にいていい**のです。

ひとりはゴルフの練習をしながら、ひとりはジムで筋トレをしながら、ひとりはカフェテラスで佇みながら、ひとりはビーチで夕日を眺めながら……。一人ひとりがブルートゥース（Bluetooth）でスマートフォンとつながったイヤホンを耳につけ、オンラインで落ち合い、必要な確認事項を〝細切れの時間〟のなかで処理していけばいい。

あなたはきっと、クライアントに対してこんなミーティング調整のお伺いをするようになります。

「今日の午後の時間帯で、15分ほどでいいのでオンラインミーティングができる隙間時間はありますか？」

15分単位ですらあたりまえ。時間の使い方は、細切れになっていくでしょう。移動がなくなることで、わたしたちは時間についてたくさんのことを考えるはずです。

人間関係

いかにして〝リモートトラスト〟を形成するか

あなたは、実際に会ったことがない人に仕事を頼むことができますか？

もし仕事を依頼するなら、金額はいくらまで出せるでしょうか？　クラウドソーシングの広がりも手伝い、そういった経験を持つ人は増えてきたかもしれません。
オンラインミーティングなど、リモートで人と接することがあたりまえの社会では、人間関係、信頼の蓄積の方法も変化していきます。

リアルで会わず、実際に相手の〝空気〟を感じたこともない状態で、1000万円のプロジェクトの発注ができるのか？　スタートアップ企業への1億円の出資を決められるのか？　オンラインミーティングでのやり取りを通じて、相手への信頼をそこまで寄せることは可能なのか？
反対に、画面の向こう側にいる相手に対して自分の信頼をそこまで高め、仕事を獲得することはできるのか？　これは大きなテーマです。

コロナ以前、わたしがリモートでもっとも高い金額で仕事を依頼したのは、50万円の案件でした。相手は、深圳《しんせん》に住む中国人。もちろん、会ったことなどありません。当時（2016年）、それはわたしにとっての限界の金額であり、リモートで依頼した最大の仕事でした。やはり、実際に会ってコミュニケーションを取っていないがゆえ、リスクを感じたのです。仕事が無事に完了するまで、内心ドキドキしていた記憶があります。

しかし、そんなことではこれからの社会を生き抜くことは不可能です。なぜなら、リアルで会わずに、相手との信頼関係を築くスキルが求められるから。

「さすがに会ったことがない人には仕事を頼めないよ。せめて一度でも直接会っていれば、そのあとはリモートでもいけるかもしれないけどね」。そう考える人もいるはずです。もちろん、それはそれで「あり」な選択です。

ただ、ここで身に付けるべき武器とは、「一度も会ったことがない人とでも、リモートでやりとりするだけで、ビジネス上の信頼関係を築くことができ、大きな意思決定や仕事の受発注が可能になる」スキルです。

わたしはこれを、**リモートトラスト（remote trust）**と呼んでいます。

このコロナ禍において、リモートトラストを身に付けることができた人は、とてつもなく強くなるはずです。それは、どういうことでしょうか？

リモートトラストを築ければ、活躍できるフィールドはどこにいても「世界」になるためです。

たとえば、スタートアップ企業の経営者であるわたしの場合、資金調達というのはものすごく重要な仕事のひとつです。なぜなら、そのプロジェクトが開始されるまでのスピード感を出すこともそうですし、しっかりと資金を確保することで様々な側面からの可能性を広げていきたいからです。

そういう前提に立てば、「自分にはリモートトラストを形成する力が備わっている。相手もこの環境の変化によって、リモートトラストの感覚をしっかり身に付けている」と判断できれば、日本全国の投資家やベンチャーキャピタルに、オンラインミーティングの依頼をし、リモートでアプローチしはじめます。

事実、2020年5月だけで10回を超えるミーティングを行いました。それまでに、リアルで会ったことがないベンチャーキャピタリストたちと。

日本国内だけでなく、世界の投資家にだってもちろんアプローチするでしょう。リモートだけで、出資の着金までやり切るのです。

リモートだけで大きな意思決定ができる人間になれた人は、いつしかこの危機を脱したあと、確実に強い人間に生まれ変わっています。恐れることなく、世界をフィールドに活躍できるからです。

今後、「リアルで会わなければ重要な決定はできない」という人は、効率性の観点から間違いなく競争に負けてしまうでしょう。大事なプロジェクトをまかされなくなり、リモートだけでスピーディーに進める人からは無制限に置いていかれます。

リアルで一度も会ったことがない人とのあいだで、しっかりとした信頼関係を築き上げるスキルは、これからのビジネスパーソンにとっての必須スキルとなるでしょう。

対面なしのオンラインミーティングなどを繰り返すことで、相手からリモートトラストを勝ち得ることができるか、自分が相手に対してリモートトラストを感じることができるか。その双方向について考えてみましょう。

①相手から信頼される

まずは、相手からリモートトラストをどう勝ち得るかという側面から考えてみます。

みなさんは、これまでどうやって仕事の関係のなかで信頼を得てきましたか？　友だちや恋人同士ならば、旅行に行った回数や食事をした回数などが重要かもしれません。でも、仕事の関係においてはそう簡単な解釈では終わらないのです。実際にリアルで会った回数でしょうか？　飲みニケーションの回数でしょうか？

リモートトラストを勝ち得るための答えは、わたしはひとつしかないと見ています。それは、**「期待値を超えるアウトプット（成果）」**です。

フルオンライン化が進んだアフターコロナの世界では、単位時間は短縮され、どんどん細切れになっていきます。細切れになるということは、ひとつの案件そのものの進行過程が小刻みになるということを指します。それはつまり、アウトプットを示せるチャンスの回数が格段に増えるということ。

リモートトラストを勝ち得ることは、毎日積み重ねていく連続したアウトプットによって可能となります。

ここでのポイントは、**仕事の成果というものの塊、単位の価値観を変えること**です。

これまで、1週間、2週間と取り組んできた成果をリアルなミーティングでもしっかりと示してきた人にとっては、自分自身のなかでは成果と思えない小さなことであっても、リモートトラストを基準とした世界では立派な成果として認識されるのです。

これまでより意識的に、小刻みなアウトプットを心がけることが重要になります。

期待値を超えるアウトプットとはどういうことかについても説明します。

それは、結果そのものが変わるアウトプットであるということ。**あなたがする場合と、ほかの人がする場合とで、アウトプットしてくる内容があきらかに異なり、その後に影響を及ぼす度合いも変わる――**。

それが、期待値を超えるアウトプットです。

仕事をしていて、いま直近の30分でなし得たことを早急にシェアする。そしてまた次の1時間で対応したことをシェアする。小さな細切れの動きによって、常に期待値を超えるアウトプットを目指すのです。その積もり積もったアウトプットが、あなたの確固たるリモートトラストになります。

リアルの世界に重きを置いて生きてきた人は、「30分の業務の成果など、いちいち報告する必要はないだろう」というような価値観を持っているかもしれません。

これは、リモートトラストを重視する人の価値観とは真逆のものなのです。

日々のシェアを怠《おこた》り1週間後に成果を示されたとしても、そのあいだの世の中の動きを考えたとき、または会社の動きを考えたときに、軌道自体がずれてくることもあります。最新の世情に常にフィットし軌道修正するためには、毎日、毎時間、いや30分、15分単位でのやりとりによって、その時点での最適解を目指さねばなりません。それこそが、効率のよい仕事の進め方になるでしょう。

あなたが、リモートトラストを勝ち取る方法とは？

極端な言い方をすれば、**15分刻みで期待値を超えるアウトプットを示し続けること**なのです。

②相手を信頼する

次に、相手に対してリモートトラストを感じることができるかどうかについて考えていきましょう。これはいま述べてきたことの逆の視点ですから、もう察しがついたかと思います。

これからのビジネスの世界に順応していくのは、細切れのアウトプットで力量を示せる人。先に15分刻みと書きましたが、仕事のすべてがそうである必要はありません。

臨機応変に、即座にアウトプットを返すものもあれば、数日後に示すものだってあるはずだからです。内容によって、それに適したスピード感はちがってきて当然です。

新たな相手となにかプロジェクトをはじめる際、コミュニケーションのホットチャンネルを決めます。スラック（Slack）でも、チャットワーク（Chatwork）でもほかのツールでもなんでも構いません。

そして、実際にプロジェクトがスタートする。そのとき、そのホットチャンネルでの最初の1時間で勝負は決まります。

リモートトラストを得ることができる人は、そのホットチャンネルに上がる情報への反応の速さがまるでちがいます。進め方を確認する細かさがちがうのです。10秒で返せるものに対しては、10秒で返答する。翌朝までにアウトプットを示すものに対しては、もちろん翌朝までに。

新たな相手とリモートでのコミュニケーションがはじまった際に、**お互いが心地よいと思える反応速度と確認事項の細かさが一致するかどうか――**。これが、相手を信頼することができるかの判断材料になります。

なんの前触れもなく、いきなり電話をかけてくるような人もいます。しかしながら、そういった20世紀スタイルのままの人は、リモートトラストが基準の世界では駆逐《くちく》されていくでしょう。

「人は第一印象で決まる」

そんな言葉をよく見聞きします。

大きな意味での「人間関係2・0」の世界では、最初の1時間のリモートコミュニケーションで、第一印象は決まるのです。

通勤

在宅勤務なら、交通費も通勤時間もゼロ

どの企業も、従業員の交通費が毎月どの程度かかっているかを正確に把握しています。ひとりあたりの交通費は、平均して1万5000円程度でしょうか。従業員が100人だと月額で150万円くらいになります。年間では1800万円となります。

これは、毎月、毎年かかってくる費用です。オフィスを維持するには、都内だと従業員ひとりあたり5万円から20万円の経費が必要になるといわれています。つまり、企業というのは、仕事をはじめる環境を整えるだけで、莫大《ばくだい》な費用がかかります。基本的にはオフィスをどこかに構え、そこに全従業員を通勤させるわけですから、それはもう大変なことです。

費用だけではありません。都内の場合であれば、従業員の片道の通勤時間の平均は50分ほどです（2019年ザイマックス不動産総合研究所調べ）。100人の企業だと、毎日の移動だけで往復約167時間。1000人の企業なら、毎日約1667時間が消費されます。

同じことを、関東圏にまで広げて考えてみましょう。一都三県の労働力人口は約1634万人です。ほかの市区町村へ通勤する人は約58％います（平成27年国勢調査）。940万人が平均50分かけて通勤しているとすると、**毎日、移動だけで約1570万時間が消費されている**のです。

往復で消費される100分は、1日24時間に占める割合としては6・9％。起きている時間が18時間とするならば、そのうちの9・3％相当になります。つまり、**平日の起きている時間の約1割が通勤に使われている計算**です。もちろん、通勤時間を有効に使って、新聞や本を読む時間にあて、リフレッシュできている場合もあるでしょう。しかし、ただ単に、満員電車に耐えている時間となっている人が多いはずです。

どの企業の「会社概要」や「募集要項」を見ても、本社のオフィスの住所が載り、交通費支給という言葉が並んでいますよね。従業員がオフィスに出勤してくること、毎月のように数千～数万円の交通費を支給すること――これまでは、そこに膨大なお金や時間が消費されることをあたりまえとしていました。

しかし、やり方によってはそのお金や時間が変動し得ること、かなりの割合で削減され得ること、あるいは完全に「ゼロ」にもできることを想像してこなかったのです。

コロナ以降は、通勤の定義を変えていかねばなりません。

通勤とは、オフィス（本社、または自分が所属する場所）に通うことだけではないのです。在宅で仕事をすれば、交通費も通勤時間もゼロになります。

自宅から客先に直行することも過去にあったと思います。その場合は、経費精算によって交通費が支給されるわけですが、このようなことも考えられます。

オフィスに通勤するのではなく、家から近いコワーキングスペース、または、今日もっとも集中できそうな場所へ移動するのです。これもまた、通勤に変わりありません。1日そのコワーキングスペースで働き、帰宅すればいい。

通勤の概念を、〝自宅から会社〟に限定しなければ、バリエーションは豊富になります。

創業間もないベンチャー企業であればフレキシブルな対応は可能ですが、一定規模以上の企業の場合だと、交通費を支給するため入社時に通勤経路を申告させるようにしているはずです。その申告に忠実に、毎月交通費を各従業員の個人口座に給与と一緒に振り込んできました。しかしこれからは、通勤経路はひとつだと短絡的に決められなくなるため、正確な管理がむずかしくなります。

従業員の目線からすると、自分が働きやすいと思う場所にその日の判断で移動し、そこで働き、締めのタイミングで交通費を清算し支給してもらうだけになる。これは非常に働きやすく、作業効率もアップしていいことずくめかもしれません。

ですが、管理する側からすると面倒なことばかり。その場所への移動は妥当かどうか、在宅ワークで生産性はちゃんと維持されているか、リモートワークは適切な場所で行われているか……。それらを詳細に把握する必要が出てくるからです。

大企業の場合、従業員に対して、**普段使いするコワーキングスペースやカフェなどについて、自己申告をするよう事前に求める会社も出てくる**と推測されます。

また、従業員の通勤でかかる費用や時間など、削減された分のお金を、各従業員の在宅ワーク環境の整備費用にあてる企業も出てくるでしょう。都内で概算した場合、毎月の交通費が仮に1万円、オフィスにおける従業員ひとりあたりの賃料が仮に5万円とするなら、毎月6万円、1年間で72万円の費用がかかっていることになります。その一部を、在宅ワークにおける環境の整備費用として支払うのです。

では、在宅ワークの環境を快適に整備するのに必要な資金はどのくらいでしょう？　デスクのみを支給するような節約した考えなら5万円程度、もう少し潤沢に見積もっても10万円程度なはずです。**在宅ワークの環境は一度整備してしまえば毎月の費用にはなりません**。毎年のしかかる72万円に比べれば、とても安価で済みます。

在宅ワークを推奨する企業の場合、家の通信費を会社負担とするところも現れるでしょう。いままで「通勤の交通費全額支給（ただし5万円まで）」のように記載されていた募集要項には、次のように書かれることになります。

・在宅ワーク環境整備一時金支給（ただし5万円まで）
・在宅ワークのための通信費用補助（ただし月額３０００円まで）

在宅ワークをサポートする費用は、オフィスの維持費の10分の1程度で済むのです。

営業

自宅でのオンライン営業でもスーツ着用で印象アップ

29ページの「人関関係」の項で述べたことを、営業にフォーカスして考えてみます。

みなさんは、対面で一度も会わずに案件を受注したことがありますか？

みなさんは、対面で一度も会わずにモノを売ったことがありますか？

コロナ禍のなかでは、営業のための外出もおぼつかなかったはずです。必然的に、客先とのミーティングはほとんどすべてがオンラインミーティングに切り替わりました。コロナ終息後も、この傾向はおそらく変わらないでしょう。

「いまはコロナ禍だからオンラインで思うように営業が進まない。でも、コロナが終息したらまた対面営業で挽回しよう」

そう考えている人は、黄色信号——いや、赤信号が灯っているかもしれません。アフターコロナの世界でもオンラインが主流になると想定して、これからの準備をしたほうが賢明です。

では、なぜアフターコロナでもオンラインでの営業がベストなのかを考えてみます。ここでのポイントは、**「自分が取り扱う商品は、質がいいからきっとオンラインでも売れるだろう」という視点で判断しないこと**です。

あなたの会社の競合他社の動きを想像して、判断しなければなりません。

たとえば、競合他社が営業活動のすべてをオンラインに切り替えたと想定します。オンラインで売りやすい商品説明のＰＤＦ資料や、営業文句もばっちり用意したとしましょう。その競合他社は、オンラインだけで営業を「網羅的」に展開しはじめるにちがいありません。対面営業を活用していたときは、1日あたり3件しか回れなかったのが、オンライン営業に切り替えることで商圏は日本全国、世界にまで広がり、1日あたり10件以上のミーティングをこなせるようになる可能性があるからです。いや、実際にこなせるようになるでしょう。移動時間を省略できるメリットは、あまりに大きいのです。

つまり、対面重視の営業をしていては、効率面で何倍もの差をつけられる可能性があるということ。そうなると、みなさんが勤務する企業の経営陣はこう考えはじめます。

「うちもすべてオンラインで効率化し、営業効率を引き上げよう」

遅きに失する前に、いますぐにオンラインでも受注できるような営業スタイルへの変革が必要です。

では、具体的にはどう変えたらいいのか――ここからは、4つのポイントに絞って説明していきます。

①服装「その場は自宅でも、スーツやビジネスウェアを着る」

オンラインミーティングでは、基本的に上半身しか相手に見えません。信頼性を売りにしているプロダクトなのであれば、**自宅からのオンラインミーティングでもスーツやビジネスウェアの着用が理想**だと思います。イメージは、報道番組のニュースキャスターのような服装でしょうか。少し派手めのスーツで、胸元のポケットにポケットチーフを入れるのもいいと思います。

もちろん、IT系のスタートアップ企業などカジュアルなスタイルの会社であれば、スーツではなくTPOに合わせた服装がマッチするはずです。

リアルのミーティングよりもオンラインミーティングのほうが相手に見える部分が限られる分、ファッションに気を配らないと、相手に与える印象はよくなりません。

②背景「アイスブレークをつくる壁紙を意識する」

意外に盲点なのが、オンラインミーティングにおける「あなたの背景」です。雑然として散らかった自宅の部屋や、無機質な壁やドアが見えることはマイナスにしかならないでしょう。その対策として、壁紙に商品紹介ページやQRコードなどを設定して載せる手法もありますが、あまりに押し付けがましくなるのも考えもの。

そこで、海外の観光名所の写真、プライベートで自分が撮影したお気に入りの写真、映画のワンシーンや、好きなアニメ映画の画像などを壁紙にセットするのは面白い試みではないでしょうか。最初の営業のアイスブレークをその壁紙の話題からはじめることで、「つかみはOK」にできるからです(ただし、画像の版権には注意しましょう。場合によっては、ビジネスの信頼関係にも影響しかねません)。

「背景」は、これまでの営業ではまったく意識されなかった要素です。今後は、営業相手、または、紹介するプロダクトに応じて前もって準備しておく必要があります。

③営業資料「通信遅延を考慮した資料を作成する」

実は、これまでの営業資料で使っていたようなデータファイルは、オンラインミーティングでは不向きの可能性があります。２０２０年は「５Ｇ元年」ですが、Ｗｅｂを介したオンラインミーティングでは、通信の遅延にはじまり、画像が映らない、固まって動かないというアクシデントはつきもの。高画質の画像を多用した営業資料は、その危険性がさらに高まります。

さらに、高解像度の画像によって心象をよくするためにしっかりとデザインされた資料は、その効果が発揮されません。なぜなら、よほど注意をひきつけない限り、相手先がその高解像度の画像やグラフを完璧に見てくれる保証はないからです。

オンラインの相手は、ミーティングをしながらブラウザでニュースを読んでいる可能性もあります。共有している画面は見られていない前提で話を進めるべきなのです。

いずれにしても、いままでのような営業資料は間違いなく見直しが必要です。**より端的でわかりやすい文章にする、細かい画像やグラフは使わないということだけでなく、ファイルサイズを軽くすることで遅延対策を施《ほどこ》すことも重要。**そして、画面上で共有できる資料がなくとも、**伝えたいことが伝わるような営業文句を考えてみてはどうでしょうか。**

④ランディングページ「縦長はやめて、画面1ページに収める」

オンライン営業を想定して、ランディングページ（営業ページ）を用意しておくことは効果的です。会話の流れのなかで、チャットでそのURLを伝え、相手にパソコンのブラウザでアクセスしてもらう。これができれば、③で懸念した解像度などの画質の問題は解消できます。

Web広告を活用して認知を広げるランディングページは、縦長デザインの傾向があります。上部に導入の画像があり、続いて3つ程度のサービスの特徴、その下に料金プラン、最後にお問い合わせフォームと続く。これがスタンダードなランディングページの構造です。この典型的な構造もまた、オンライン営業では不向きです。

その理由は、縦長のページだとどこを見たらいいのか、どの部分を説明しているのかがわかりにくいためです。ですから、**縦にスクロールしなくても全体が把握できる、パソコンの1画面に収まるページを準備することが効果的**。そうすれば、どこを説明しているのかの補足を入れる必要もなく、聞いている相手も意識を集中させやすくなります。

オンラインミーティング向けのランディングページを用意することが、無難かつベストではないでしょうか。

人事評価

心理的安全性をつくれる「草食系」が出世する

コロナショックを境に、人事評価の軸も変わっていくでしょう。

「出世する人、しない人」「お金を稼げる人、稼げない人」のふたつに分けて考えてみたいと思います。

実は、ここで書く内容は、新型コロナウイルスが流行する以前からすでに傾向が現れはじめていたことでした。コロナ以降では、在宅・リモートワークの割合が増えていくことで、さらにこの傾向が顕著《けんちょ》になっていくと見ています。

①出世する人、しない人

まずは、それなりに従業員数の多い企業を想定し、このコロナ以降に出世街道がどう変わりゆくのかを考えてみましょう。

たとえば、みなさんにとって「やり手の部長」とはどういうイメージの人物ですか？

ひとりで重要な取引先に食い込んでいって大型案件を受注してくる頼もしい人、推進中の案件が炎上しクライアントともめているときにスマートに火消ししてくれる人、はたまた、部署のメンバーを集め、たびたび「飲みニケーション」をはかり、豪快にお酒を飲みながら組織を盛り上げてくれる人……。

もちろんこれに該当しないタイプの人が部長の場合もありますが、典型的なのはそんな人物像だと思います。

しかし、アフターコロナの時代は、これがガラリと変わるはず。これからの世界において、やり手の部長を特徴的に表現するならば、こうなります。

「従業員一人ひとりが、オンラインでもオフラインでも心地よく働けて、発言できて、安心して同僚や上司・部下とものを頼み合うことができる。そんな、心理的安全性のある空間をつくってくれる人」

いままでの部長像とは程遠い、ある種「草食系」のようなイメージかもしれません。企業にとってはもちろん、大手クライアントに切り込んで案件を引っ張ってくることができるような「肉食系」の人材はとても貴重です。しかし、そうした素養のある人は、今後、部長ではなくプロフェッショナル職（営業専門職）となっていくでしょう。

これからの企業や組織をマネジメントするスキルの最重要事項は、従業員にとっての居心地のよさをもっともつくれる人になっていきます。

オンラインミーティングの割合が増える。在宅・リモートワークによって、リアルで会う時間が短くなる。そうした職場になればなるほど、この傾向は強まります。

リモート環境下では、チャットなどで業務のやりとりを随時確認しながら進めていくことが多くなります。つまり、ものごとを調整・判断する時間間隔が短くなるのです。

そのため、**いつでも、どんなことでもいいやすい環境であることが組織としての強さになり、経営全体の効率化につながります。それが、心理的安全性が重要となる理由**です。

桜木花道はじめ、プレーヤーたちが生き生きとプレーするのを見守っていた、漫画『スラムダンク』の安西先生はこういうタイプかもしれません。

では、これから管理職を目指す人は、どう振る舞っていけばいいのか？

心がけるべきは**「オンライン上での気遣い」を身に付けること**ではないでしょうか。

チャットで何百とやりとりをしていると、誰からも反応のない投稿があります。そこへのリアクションや、共感のコメント、簡単な次のステップへの提言。そんな小さな気遣いの積み重ねが、あなたのまわりに心理的安全性を築き上げていくでしょう。

誰かのポストに対して、すぐに自分の意見を書き込み返すのではなく、いったん、相手を気遣ったコメントを考えてみる。まずは、そんなことからはじめてみるのがいいと思います。

②お金を稼げる人、稼げない人

昨今、起業する人やフリーランスで働くことを志向する人も増えてきました。もちろん、営業に邁進《まいしん》するビジネスパーソンもいますし、手に職を持った職人気質の人もいるでしょう。このように、働き方も多様化するなかでのコロナショック。このタイミングで、稼げる人と稼げない人とのちがいはどういうところに出てくるのかを考えてみます。

その境目は、ひとことでいえると思います。

「覚えられているかどうか」

みなさんは、フェイスブック（Facebook）、ツイッター（Twitter）、インスタグラム（Instagram）など、普段使うSNSで何人の人とのつながりがありますか？　多い人だと数千人、少ない人でも数百人、それぐらいの規模ではないでしょうか。

この数字は、いますぐにコンタクトできる人の数を示しています。なにか困りごとが出てきたとき、自分ひとりで解決しようとする人もいますが、まずはこの〝友だちネットワーク〞に人は頼ります。そこから仕事に派生し、稼ぐチャンスが巡ってくることは、いまの時代に珍しいことではありません。

そもそも、**「困りごと」が自分の仕事にダイレクトにつながることでなくても構わないのです。どんなことであれ、チャットなどでやりとりを繰り返し、そこに反応し合う——。それが積み重なっていくことで、「覚えられる人」になっていきます。**

相手にしっかりと覚えられたら、きっと具体的な仕事の依頼があったときにも気軽にメッセージが飛んでくるようになるでしょう。

「こんな仕事があるんだけど、誰かできそうな人知りませんか？」

それが直接、自分の仕事になる場合もあれば、誰かを紹介することで紹介した相手から感謝されることだってあるでしょう。それでいいのです。

いま、みなさんはSNSでつながっている人すべての名前をいえますか？

おそらく無理だと思います。「友だち」としてつながっているにもかかわらず、名前と顔写真を見ても思い出せない人が確実にいるはずです。

逆にいえば、あなた自身についても相手から同じように思われている可能性があるということ。あなたのＳＮＳ上の友だちも、友だちとしてつながっている人の一部を忘れ去っています。そのなかに、あなたも入っているかもしれません。

営業力、英語力、プレゼン力、プログラミング力、分析力……そうした、なにかしらの専門スキルを磨くことは無駄ではありません。しかしながら、たくさんのスキルのそのどれかが欠けたとしても「生きていく」ことはできます。一方で、**人に忘れ去られてしまうと、このオンライン社会のなかでは生き抜いていくことが非常に困難**になります。

オンラインだからこそ、人は容易に多数の人とつながります。毎日のように「つながり」が増えていく人もいます。その積み重ねにより、いつでもチャットでコンタクトできる人の数が、数百人、数千人となっていきます。裏を返せば、これからの世の中は、人と人とのつながりのなかで「埋もれてしまう」可能性が高まっているのです。

それこそ、誰かが仕事を発注しようとしてその最初のアクションをする際、覚えらえている人と、覚えられていない人とのあいだの差は、とてつもなく大きいものになっていくでしょう。つまり、**覚えられていて、いつでも気軽にコンタクトされる人は稼げる人、埋もれてしまう人は稼げない人になってしまう**のです。

みなさんは、ＳＮＳでつながっている何人の人に覚えられている自信がありますか？

社内コミュニケーション

実は重要な「雑談」の場をどう確保する？

新型コロナウイルスの感染が拡大するにつれ、在宅・リモートワークが増えました。関連して、社内コミュニケーションにも変化が生まれています。ここでは４つのシーンに分けて、これから社内コミュニケーションがどう変わっていくのかを見ていきます。

①社内コミュニケーション全般

ＩＴ系スタートアップ企業やＩＴ業界などではコロナ以前から一般的だった、ビジネスチャットベースでの業務推進がいよいよ広く普及していきます。

その代表的なツールとしては、スカイプ（Skype）、スラック、チャットワークなどが挙げられるでしょう。これらのツールをすでに活用している人も多いと推測しますが、ビジネスチャットの導入により、社内コミュニケーションはどう変わるのでしょうか。

まず、社内でのコミュニケーションのすべてが、「非同期・非連続」に変わっていきます。

社内チャットには、あたりまえのように数十（場合によっては数百）ものグループが立ち上がり、そのなかで「細切れの会話」として、業務の進捗状況の共有や確認事項が乱れ飛びます。

プレゼン資料やワード（Word）の資料はクラウド上に置かれ、共同編集によって徐々にブラッシュアップされていき、アートワークやアプリのＵＩ（ユーザーインターフェース）・ＵＸ（ユーザーエクスペリエンス）、さらには動画制作すら共同編集可能なツールが現れはじめています。

目の前の自分のタスクに集中したいときはそれに集中し、チャットを放置する。一息ついたところで、チャット上に溜まった数十もの通知を確認し、反応するべきメッセージに返信していく――。**社内コミュニケーションはどんどん細切れに、非連続に、それでいて、とてつもなくスピーディーに進んでいきます。**

この円滑な環境を築けるかどうかは、「会社としての強さ」に直結するでしょう。チャットツールを導入するなかで、それを成功させるためのもっとも重要な要素がひとつあります。

それは、**クラウド上で、できる限り多くの社内情報を公開する**こと。これまではマネジメント層にだけ共有していた情報などについても、全従業員に公開するほうが得策です。

それはなぜでしょうか？　これまでとの比較で説明していきます。

細切れで非連続に効率的に進む社内コミュニケーションではなかったときは、トップマネジメントが掲げる大方針があり、それらが部署単位に落ちてくることが一般的でした。いわば、各部署でミッションの遂行をすることこそが大きな目的だったのです。

部署単位でも、情報共有は短いサイクルで週単位、長い場合は1カ月に一度程度だと思います。このような環境では、日々の軌道修正が非常にしにくいことはいうまでもありません。この場合であれば、トップが決めた大方針がぶれずに進むことが全体最適につながります。

しかし、**これからの細切れで非連続なやり方の場合だと、毎日、いや毎分のように、すべての従業員のあいだで業務の軌道修正が可能**になります。

状況の変化に応じて、全従業員で軌道修正が可能な環境なのです。それゆえに、トップマネジメントが持つ情報はどんどん共有することが重要になる。重要な情報が共有されていれば、会社として進む道が見えます。その情報を知っていることで、10分前に起きたことや、目の前の10分で起きていることへの軌道修正ができる可能性が広がります。

②オンラインでの社内ミーティング

社内ミーティングは、基本的にオンラインでの開催になっていくことが考えられます。すでに、多くの企業でズーム(Zoom)やチームズ(Teams)など様々なツールが使われていると思います。そんなオンラインでのミーティングを、うまく進めるための秘訣がひとつあります。

オンラインでミーティングを開催するのであれば、参加者全員がオンラインで参加すべきだということです。たとえば、部長とほか数人はリアルの会議室に集まり、ほかの参加者はオンラインで参加するようなケースがあるかもしれません。しかし、このような一部はリアル参加、一部はオンライン参加というやり方は好ましくありません。

その理由は、情報格差が起きやすいから。リアルで参加した人たちは、目の前に人がいることで、その場の空気や発言者の態度、または雰囲気が、オンライン参加の人たちよりよくわかります。オンライン参加者には通信状態の影響で聞こえにくかったような小さな声まで、リアル参加者は聞くことができるでしょう。

同じ内容のミーティングに参加していたとしても、リアル参加者とオンライン参加者のあいだでは大きな情報量の差が生まれるのです。オンラインミーティングをする場合は、すべての参加者が等しくオンラインで参加するべき。一人ひとりが、それぞれの1台のパソコンの前（スマートフォンでも可）に座り、イヤホンをつけて参加する。これが、円滑にオンラインミーティングを進めるポイントです。

③部署内や同僚との交流

都内では2020年3月末頃より在宅・リモートワークに切り替えた企業も多いと思います。本書を執筆しているのは6月ですから、そろそろ在宅勤務体制に切り替わってから数カ月が経とうとしています。チャットやオンラインミーティングのツールを駆使し、どうにかこうにか業務を推進しているところでしょう。

そして、この短期間で確実にすべての企業において減ったものがあります。売上でしょうか？　もちろん売上が厳しい企業はあり、奮闘されていることと思いますが、伸ばしている企業もあるので「すべて」には該当しません。すべての企業で減ったものとは？

それは、**同僚との「雑談」**です。

在宅勤務になり、どんどんリモートワーク化が進み、同僚と会うことがなくなった。そんな日々があたりまえになったなか、今日、同僚が元気かどうかみなさんご存じですか？今日、部下や上司の調子がいいかどうかご存じですか？

新型コロナウイルスが流行する前、オフィスに通勤していたわたしたちは毎日同僚と顔を合わせ、何気ない会話をしていました。休憩室でお茶を飲みながら、または、喫煙所でも同様のことが行われていたでしょう。ランチタイムもそうでした。そうした雑談には、部内の、チームメンバーの、**企業全体の雰囲気を嗅ぎ取る役割**がありました。

雑談する時間が、コロナ以降では確実に減りました。そして、雑談が減ったがゆえに、同僚の調子が見えなくなり、また、タスクを進めるにあたって些細《ささい》な迷い事も出てくるようになったかもしれません。

実は、**これまで何気なくしていた雑談のなかには、日々の仕事の進め方の手がかりがあった**のです。

この状況への対策として**わたしが推奨したいのは、垂れ流しのオンラインミーティング**

チャンネルをひとつ開設すること。ランチタイムだけでも構いません。全員の何気ない会話が聞こえる場所をつくるだけでよく、無理に話す必要はないのです。それこそ、「ROM専(見る・聞くだけ)」でもいいと思います。そうしたチャンネルを用意することで、みんなの調子が確認でき、円滑な社内コミュニケーションにつながると思います。

④上司と部下のあいだのコミュニケーション

48ページの「人事評価」の項でも述べましたが、リモートが主流となり、リアルで人と会わない時間が長くなるなかでは、「心理的安全性」が重要となります。

ここでいう心理的安全性とは、話しやすさ、居心地のよさ、意見のいいやすさ、報告のしやすさ、相談のしやすさなどです。オンラインミーティングをはじめとして、リモートでの仕事が進めば進むほど、〝本音〟はいいづらくなる傾向があります。相手の表情がリアルで見られないことで、指摘したり怒ったりすることは、これまで以上に冷たい対応だと感じられるようになってしまうからです。だからこそ、部下にとっての働きやすさを考える必要があります。

仕事のリモート化によって効率は俄然上がりますが、見えにくいものも増えてきます。

見えにくいからこそ、いま部内の居心地はどういう状況かということに細心の注意を払う必要が出てくるはずです。

また、対面で会えない上司とのコミュニケーションで悩んでいる人も多いかもしれません。チャットやオンラインミーティングで、どう振る舞うといいでしょうか。**ポイントは、小さな相談事を簡潔に伝える**こと。

業務がオンラインに移行することで、部長をはじめとしたマネジメント層は、これまで以上に大量のテキスト情報を多くの部下から受け取ります。移動時間もなくなったことで、オンラインミーティングの連続となっている日もあります。

そんななかで、長文のチャットの投稿や、ページ数の多い資料が共有されたら、あなたの上司は悲しくなって思わず目頭を押さえるなんてこともあるかもしれません。

簡潔な情報共有、些細な変化の共有、「Go／Not Go」で答えられる質問、そうしたものが円滑なコミュニケーションにつながると思います。

採用

リクルーティングを左右する「リモートワーク可」の有無

2020年は、多くの企業の入社式が中止となりました。残念なことに、採用自体が取り消された人もいたようです。また、無事に入社したとしても、実際のオフィスにはなかなか行けないようなことも起こったでしょう。このような体験をした新入社員たちは、これから実戦経験を積んでいく過程においても、リモートワークが増えていきます。

実際にリモートで業務を行い、それでも仕事が回ってしまった企業も多数あったのですから、その流れは止められません。もちろん、対面でなければ仕事にならない業種もたくさん存在しますが、もう、**オフィスや交通費に莫大な費用をかけなくても大丈夫であることが〝わかってしまった〟**のです。

これからは、**自社に迎え入れる人材に対しての募集要項において、「リモートワーク可」をうたわなければ、採用は困難になります。**

それは、企業の規模の大小に関係なく、です。数万人規模で従業員がいるような大企業でも、その動きは広がるでしょう。

わたしは、仕事の関係で通算で7年ほど海外に住んでいました。それ以前は、毎朝8時台の山手線――すし詰めの満員電車でした――に乗って東京駅で下車し、丸の内にあるオフィスに通勤していたのです。しかし、7年間の海外生活を経たのち、わたしはすっかり、満員電車に乗れなくなっていました。

首都圏はもとより、関西圏などでも家でリモートワークをはじめた人たちは満員電車に乗れなくなるはずです。人間の深層心理がそうさせるのだと思います。

これからの求人の募集要項には、このような記述が増えるにちがいありません。

「リモートワーク週3日可」
「フルリモートワーク可」

そうした採用条件をデフォルトにしなければ、その企業の将来を担っていく人材の獲得はむずかしくなります。同様に、コロナ禍のなかでフルオンライン化に移行できなかった企業は、人材獲得市場においても遅れを取ることになるのです。

それは当然のことです。同じような職種で同じ給料をもらえると想定した場合、満員電車に揺られて職場に行って仕事をするのか？　そんなストレスを溜めずに快適な自宅空間や、作業しやすい環境が確保されたコワーキングスペースで仕事をするのか？

誰もが、迷うことなく後者を選ぶことでしょう。

社員教育

企業を強くするのは「自由な時間」

いまどきの、そして、これからの社会人にとって理想的な「教育・研修」や「学び」とはどんなものでしょうか？

〝強い企業〟というのは、やはり〝強いメンバー〟がいるものです。その前提に立つと、メンバーを強くするための良質な教育が必要だと考えられます。

では、現状よりメンバーを強くすべく、良質な教育・研修の機会を従業員に与えるため、マネジメント層の人たちはなにをすべきでしょうか。

石の上にも3年――10年やってようやく一人前――そんな価値観はとうのむかしの話に

なってきました。

わたしが社会人になった2002年頃のマネジメント層は、このような考えが主流でした。しかし、変化の激しいいまの時代は、そんな悠長《ゆうちょう》なことをいってはいられません。

まず、現時点で問題視すべきは、マネジメント層と若手従業員の価値観が、だいぶ異なっていることです。その価値観の差は大企業に限った話ではなく、スタートアップ企業でも年齢差からくる価値観の相違はかなり大きいものがあります。

教育・研修で重要なポイントは、質のよい教育・研修が行われているかどうかという点に尽きます。なにより、質が重要なのです。

しかし**その質に対する判断には、差があります。企業にとって必要とする質、部長など管理職にとって必要とする質、各従業員にとって必要とする質がちがう**のです。

そこにあるギャップは、そう簡単に埋まるものではないかもしれません。

一方の「学び」は、「自らがいまほしいものを身に付けたい」という意味合いを持ち、質ではなくコンテンツが重要になります。

「自らがいまほしいもの」を「学ぶ」ということの判断軸は、「今日の自分」です。今日、自分がほしいと思うものを、世の中から探り出す。Web上に無限の情報があるいまは、いともたやすくほしい情報が検索できます。今日必要なものを、いま必要な学びを、その瞬間に探せるのです。

いまの若い人たちは、こんな動きを日々しています。

ノート（note）、ツイッター、フェイスブック、ユーチューブ（YouTube）、オンラインサロン、ブログ、海外のネット記事、見知らぬ誰かが丁寧に分析してまとめた図表、誰かがシェアした記事、シェアされた記事に付いたコメント、社内のビジネスチャットで共有されたもの……。それらを、少ない人でも1日に数百以上にわたり流し見しているのです。そのなかから、今日の自分が、いまこの瞬間にほしいものを〝発掘〟しています。

短時間のうちに、あらゆるジャンルの雑多な情報のなかから、今日の自分にとって意義あるものを選択し、瞬時に振り分け斜め読みをする。そんな感じでしょうか。

会議中でも、デスクワーク中でも、通勤中でも、ベッドのなかでも……今日の自分が学びたいコンテンツを探しあて、自由に、制約なく、どんどん吸収していきます。

企業内で強いメンバーをつくりあげるために、**教えるべきものを一方通行で与えることは効果が薄くなっています**。誰かによって選ばれた「なにか」という教育コンテンツは、メンバーからの拒絶反応しか生みません。

なぜなら、今日の自分が学ぶべきだと思っていることと、あまりにも乖離《かいり》しているからです。

研修など、社内で提供する教育コンテンツの履修がなかなか進まないのは、従業員の怠《たい》惰《だ》や情報共有が徹底されていないからではありません。今日の自分にとってのニーズを感じないからなのです。

では、なにを与えれば強いメンバー、チームはできあがるのでしょうか？


それは、**「自由な時間」**だと思います。


今日の自分がほしいものを世界中から手繰《たぐ》り寄せる情報発掘力を持つ若い従業員に必要なのは、自由な時間なのです。在宅・リモートワークでも、意欲の高い人材は、隙間時間を見つけ情報を発掘していきます。

自由に、今日の自分が必要と思うものを発掘し、スポンジのように吸収していく――。そういった動きができるメンバーが集まるチームは、「最新の教育を今日受けたチーム」として、確実に成果を上げていくでしょう。

強い企業をつくるには、安心できる環境での自由な時間をつくることです。自由な時間は、最高の教育コンテンツなのです。

それから、これはちがう切り口からの社員教育ですが、わたしが経営する会社のスラックでは、「#雑談なんでもOK」というチャンネルを用意しています。ここに日々、従業員が思うままに面白いと思う記事や本の内容、考えを投稿していくのです。

会社とは別に、わたしが運営するオンラインサロンにも、サロンメンバーの雑談場所を用意しています。それこそ知人のスタートアップ企業では、「雑談チャンネル」が細分化され、10種類以上あると聞いたことがあります。

これはいわば、リアルなオフィス環境にあった喫煙所であり、給湯室であり、会社帰りの同僚との飲み会の場所と同じようなものです。

これらの雑談チャンネルはとても有意義な場になり得ます。なぜなら、雑談が新しい情報との出会いとなり、情報発掘のきっかけになるからです。そういったことの繰り返しが、メンバーの強さにつながっていきます。

従業員がリアルな場で集うことができないとしても、先輩が後輩に教える直接的な機会がないとしても、それは、企業として個々人の強さを鍛え上げることがむずかしい理由にはなりません。

きっと、このコロナ禍のなかで、新入社員や若手を教育する立場の人はこんなことを考えているはずです。

「コロナが終息したら、リアルな研修を数多くこなして、能力の底上げをしよう」

これまで、不定期にでも、社内のベストプラクティス（もっとも効率のいい方法）を議論する場を設けていた中堅マネジメント層などもこう考えているかもしれません。

「コロナが明けたら、どう会社の成長をドライブしていくべきか。そのための合宿をしなければならないのではないか」

気を引き締める機会をつくらなければならないという方向に行きがちです。

繰り返しになりますが、こんなときにこそ企業を強くするのは、自由な時間を謳歌《おうか》できるような場所の提供だとわたしは思います。チャットのチャンネルや、コミュニティを用意することです。心理的安全性がそこにあること、そこで過ごす時間が快適なこと、そこで過ごせる時間の余裕があること——それらが、最高の教育方針なのです。

「自由にやらせたら働かないのではないか？」

それはあまりに短絡的な思考です。

自由な時間に働かず、意義ある活動をしないということは、その企業・ビジネス・業務そのものに、「やる価値がない」と思われているだけのことではありませんか？

「やりたい」「時間を費やしたい」。そう思わせるものを用意していないマネジメント側に責任があります。


自由な時間を、企業にとっての「最高の武器」に変えましょう。

オフィス

固定面積が激減し、働く場所は外へと広がる

在宅・リモートワークで働くことがあたりまえな世の中になっていったとき、これまであなたが通ってきたオフィスの存在意義はなくなります。

それこそ、坪単価が5万円ともいわれる東京・渋谷に、モダンでお洒落なオフィスを構えることも、人材獲得において有利に働かないでしょう。もちろん、渋谷にオフィスがあ

るからといって、仕事の効率が上がるわけでもありません。

いま現在、東京都内には数百を超えるコワーキングスペースが点在しています。フリーランスの人はそれらを有効活用し、場所を選ばない自由なスタイルで働いています。

今後は、そういった働き方をする人たちが、人数規模で見たら数十倍に膨れ上がると思います。スタートアップ企業のスタッフやフリーランスに限らず、様々な業種においてその業務スタイルがスタンダードになるのです。

企業によっては、**固定オフィスの床面積が、都内ではいまの3分の1くらいになる**のではないでしょうか。一方のコワーキングスペースの需要は、数倍以上になるでしょう。

とくに、郊外やベッドタウンでのコワーキングスペースの需要は拡大すると思います。なぜなら、自宅に快適な仕事環境をつくれない人も多数いるためです。

これからのオフィスは、こうなっていくはずです（第2章の122ページ「不動産」の項も併せてお読みください）。

- **床面積は従業員の3分の1が入れる程度の大きさに縮小される**
- **会議室は最低限の数となり、外部のレンタルスペースを有効活用するようになる**

・大なり小なり、他社にもシェア可能なスペースを備える
・従業員の「プレゼンス管理」があたりまえになる

4つめに記した「プレゼンス管理」とは、従業員の現在の居場所、現在推進中の業務、現在のアベイラビリティ（電話可能、オンラインミーティングへの議論参加可能、オンラインミーティングへのオーディエンス参加可能）など、細かな状況を把握することを指します。プレゼンス管理を行うことで、場所や時間を問わず、フレキシブルに議論し業務を推進できるようになります。

19ページの「対面」の項でも述べましたが、「リアルで会わなければならないこと」はどんどんなくなります。ほとんどのことが、在宅・リモートワークで可能だからです。当然、ツールやデバイスもそれに適したものに改善されていくでしょう。そうしたとき、そもそもオフィスは必要でしょうか？　ほとんどの人が、こんな疑問を抱くにちがいありません。

「わざわざオフィスに行く理由はいったいなんだろう？」
「交通費や移動時間がかかるだけだよね？」

業務全般がフルオンライン化されたら、オフィスに行く合理的な理由はありません。「対面」の項で「人と会うのは情緒的な理由からになる」とも述べましたが、オフィスに行くことについても、情緒的な理由が必要になるのです。

考えてみてください。なぜあれだけたくさんの人が、遠方からでもディズニーランドに行くのでしょうか？　それは、**そこにしかない〝体験〟があるから**ではありませんか？　オフィスにも同じことがいえます。コロナ以前の場合であれば、オフィスに行くことに対して疑問などなかったことでしょう。それがあたりまえだったからです。

でも、新型コロナウイルスは、そんな固定観念を完全に打ち消しました。オフィスに行くこともまた、ディズニーランドに行くことと同じで、「そこでしか体験できないなにかが必要だ」と人々は考えるようになるのです。

ただの〝仕事場〟では、人は足を運ぼうとしません。

経営者目線では、業績、効率性、生産性、コスト……そうした詳細で多角的な観点から、従業員をどう出社させるかを考えるはずです。どのくらいの人数を、どんな場面であれば出社させるべきか、あるいは、出社させないべきか、と。

これからの企業にとってのオフィス設計とは、ビルの一角を賃貸し、そのなかのインテリアを考えることではなくなります。

そうではなく、従業員一人ひとりの家からオフィスまでの経路を前提に、オフィスが存在する街の状況・環境まで加味したデザインを考える必要が出てくるでしょう。通勤経路にはどんなカフェがあってそこはワイファイがつながっているか、コワーキングスペースはあるか、公園はあるか、リラックスできる環境はあるか……。オンライン化がもっと進むにつれ、人はどこにいても働けるようになります。どこにいても同じように働ける時代(それはもう目の前です)になったとき、企業はどうあるべきか？　それが問われます。

さて、オフィスがなくなったとき、またはオフィスに行く頻度が減ったとき、わたしたちはどのように仕事に臨めばいいのでしょうか？

いままでわたしたちは、朝起きたら出社するということをあたりまえに行っていました。自分の固定席に座り、そこでのパフォーマンスの最大化を目指してきたのです。でも、それはもう過去のものとなります。

在宅・リモートワークで済むということは、言い換えれば、自由に自分のまわりの環境を変えられるということ。**毎日の業務でまず初めに考えることは、今日どこにいることが自分にとってベストか、どのようなスタイルがもっともアウトプットを最大化できるか**――そういった部分になります。

これはたしかに自由なスタイルですから、歓迎すべきことかもしれません。しかし、**自由の裏側には常に責任が発生**します。**どこにいても働けるようになるということは、ベストな仕事ができる場所や方法論を、自分自身の頭で考えるということ**でもあるのです。

マネジメント

完全デジタル化の先にある「3つの整備」

アフターコロナの新世界に向けて、マネジメント層がやるべきことは山積みです。対面がなくなる前提でのワークフローの構築、社内ルールの整備、各種ビジネスインテリジェンスツールのアップデート……。

トップマネジメントは、本気で考える必要があります。

リアルで会うことがほとんどなく、オンラインで仕事を進めることができる前提に立ったときに、なにをどう変えなければならないのか。

競合する企業がすべてオンライン化を成功させたら、それができていない自社は効率性でどれほどの遅れを取ることになるのか――。

ここ数年、大企業を中心にDX（デジタルトランスフォーメーション）がもてはやされました。DXとは、「ITの浸透が、人々の生活をあらゆる面でよりよい方向に変化させる」という概念のことです。

コロナ以前からDXを前提に準備を進めていた企業は、フルオンライン化への業務のシフトは難なくできるかもしれません。一方、コロナ以前になにもしてこなかった企業は、このコロナ禍のなかで、競合他社の変化のスピードにさらに遅れを取ります。

さらに、これから問われるのは、データを扱う人間の行動ではないでしょうか。オンラインワークスタイルの確立――いわば、**HDX（ヒューマンデジタルトランスフォーメーション）への転換が重要**です。

社内での主要なアナログデータがデジタル化され、簡単にデータへのアクセスが可能な状態になった前提で、次の3つの点を整備することがHDXです。

①社内デジタルデータへの安全なアクセス環境の整備とそのリテラシーの獲得
②従業員同士でのスムーズなオンラインコミュニケーションの推進
③従業員一人ひとりのコンディションの把握とマネジメント

では、①〜③を細かく説明していきます。

①社内デジタルデータへの安全なアクセス環境の整備とそのリテラシーの獲得

フルリモートで業務を実施することを前提に、次のことが可能かどうか網羅的にチェックしなければなりません。

・社内文書へのセキュリティを考慮したアクセス
・社内業務管理システム（勤怠管理、経費管理、出張申請など）へのセキュリティを考慮したアクセス
・全従業員間でオンラインミーティングが即時可能な連絡網の整備
・事業ダッシュボード（各種ＫＰＩ、売上進捗、営業進捗などの情報）へのセキュリティを考慮したアクセス

ここで重要なのは、**デジタル化されたデータに対して、どの職級の従業員までがリモートでアクセス可能にするかを検討すること。そして、その情報アクセス管理を全社的に見直すことです。素早く柔軟に動くことができ、いつでも軌道修正できる強い組織であるためには、より多くの情報へのアクセスを開放するべき**です。

一方、セキュリティや情報漏洩《ろうえい》を考えると慎重さも忘れてはなりません。従業員一人ひとりのセキュリティ対策へのリテラシー向上も必須となるでしょう。

②従業員同士でのスムーズなオンラインコミュニケーションの推進

業務データがデジタル化され、そのアクセスがどこにいてもできるようになったとしても、それで終わりではありません。そこで働く従業員同士のコミュニケーション、各従業員の状況もデジタル化されなければ、効率性は上がっていかないからです。

ここで**大切になるのは、各従業員のプレゼンス（＝居場所や作業の空き具合）共有による効率的なコミュニケーションの実現**です。

社内でミーティングする際、都度、参加者のスケジュールを調整しているのが現状だと思います。データがあらゆるところまでデジタル化されたとしても、それを調整するための部分はアナログなまま放置されていることが多いのです。

そこで、タスクをToDoリストに載せておけば、AIによって同僚のスケジュールを分析し、オンラインミーティングの予定時間の候補を15分刻みで自動的におすすめしてくれるような仕組みを構築すべきだと思います。

これからは、従業員同士のやりとりも完全にデジタル化していきます。

③従業員一人ひとりのコンディションの把握とマネジメント

デジタル化による効率化が進んでも、すべては解決しません。たとえば、**在宅・リモートワーク下では、従業員のコンディションが見えにくくなります。**

これまでのように全従業員が集まるオフィスがあれば、彼ら彼女らは毎朝決まった時間に出勤してきました。そこには、同じフロアにいるなかで顔色を見ることができるというメリットがあったのです。雑談をするなかで、各従業員の様子を肌で感じることもできたでしょう。

でも、それはもう不可能です。これは、業務をフルオンライン化することによる弊害ともいえます。

そこで、その日の従業員の様子やコンディションを、さりげなく把握することが重要となります。ただし、リモートで働いている状況を厳しく監視するということではありません。

アフターコロナの新世界――つまり、業務のオンライン化が進んだ日常では、従業員がいかに心地よい環境にいるかがなにより大切。メンタルの面だけでなく、労働する物理的な環境の面でも、そこがポイントになるでしょう。

また、9時から17時までのような連続した勤務体系だけでなく、9時から14時、20時から23時というように、1日のなかで働く時間を細切れにしたい従業員もいるはずです。そのあたりへの対応も、企業は積極的にしていく必要があります。

北欧の企業などでは、そうした勤務体系を導入しているところも少なくありません。そのほうが効率的な場合もあり、それを望む従業員もいます。

たとえば、17時に子どもを保育園に迎えに行き、それから晩御飯を食べ終わるまでは家庭のことに集中したい場合などがそれに該当します。

働く場所を選ばず、勤務の単位時間が短縮化されたことから、こうした勤務体系が珍しいことではなくなります。

一人ひとりの従業員に対し、柔軟に適応する勤務体系の整備が求められます。

この「時間」に関することでは、一部評価基準に関しても企業は変化が必要です。

企業のマネジメント層や人事部は、これまで従業員の評価を自社の基準によりモニタリングしてきました。部署全体における営業の業績においてどんな役割を果たしたのか、受注の数、これまでの期ごとの評価と今期との対比、競合他社との競争結果……。同僚や若手従業員から意見を吸い上げる「360度評価」のようなものも存在します。

これらの評価は、短いもので月単位、長いものだと半期単位くらいになるでしょう。しかしながら、**アフターコロナの世界では、時間も「2・0の世界」となります。**あらゆる業務の単位時間が短くなり、細切れのなかで軌道修正が加えられ突っ走っていく状況になるということです。つまり、**従来の評価サイクルではあまりに遅い**のです。

社内のデジタル環境の整備、業務のオンライン化、フレキシブルな勤務体系の導入、在宅・リモートワークへの転換、評価基準の見直し……。すべてが大きく変わろうとしています。

この機会を活用し、大きく進化するか、それとも他社から取り残されてしまうか。競争はすでにはじまっています。

第2章

ビジネス2.0

3段階で進む、経済衰退・破綻の流れ

世界経済は、新型コロナウイルスの影響により先行き不安な状況にあります。というよりも、すでに世界的な経済危機ははじまっています。しかし、社会の変曲点には大きなビジネスチャンスが出てくるのもまた事実です。

2001年のインターネットバブル崩壊後に、アマゾン（Amazon）、ヤフー（Yahoo!）、フェイスブック（Facebook）、アップル（Apple）、グーグル（Google）らが躍進しました。

2008年のリーマンショック以降には、エアビーアンドビー（Airbnb）、アリババ（Alibaba）、ウーバー（Uber）、ワッツアップ（WhatsApp）ら新興サービスが世界を席巻したことはご存じの通りです。

アフターコロナの新世界では、これまでの市場ルールが激変します。**いまこの瞬間にも、10年後のアマゾンやグーグルのような企業が、世界のどこかで必ずや産声《うぶごえ》をあげているは**ずです。

この第2章「ビジネス2・0」では、これからにおける業界ごとのビジネスチャンス（リスクも）を見ていきます。そのためにまずは、日本という国の状況と、マクロ視点でとらえた場合にどのように経済危機が広がっていくのかを考えてみます。

コロナショックによる経済衰退のはじまりは、生活に密着した場所から起こりました。出社はできるだけ控える、飲食店は営業を自粛、イベントや展示会は中止、美術館や博物館やアミューズメントパークは閉鎖、そもそもの外出や旅行の自粛……。日本全国すべての人が、日常の行動に大きな変化を強いられたのです。

人々の行動が制限されると、売上が減少する企業が多く現れるのは当然です。手元資金が潤沢な上場企業ならばどうにか持ちこたえることも可能ですが、中小企業は財務体質的な弱さがある。

これらを前提にすると、コロナショックによる経済衰退・破綻は、大きく3段階で広がっていきます。

【第1段階】

中小企業など財務体質が強くない企業や、飲食や店舗型ビジネスのローカルに根ざした企

業における業績不振と雇用の不安

【第2段階】

第1段階によって消費意欲が低下したマスマーケットに依存している大企業、グローバル経済とのつながりが強い大企業における業績不振と雇用の不安

【第3段階】

メガバンクを含めた金融機関を中心とする金融危機

中国を除く主要国の多くでは、本書を執筆している2020年6月現在、国土のロックダウンや緊急事態宣言による行動の自粛を遂行中であり、まだ危機としては第1段階にあるといえます(日本では5月25日に緊急事態宣言が解除)。

わたし自身、緊急事態宣言期間中は、居酒屋に行ってお酒を飲むということもなくなり、郊外のショッピングセンターも閉鎖されたため、出かけることもほとんどしませんでした。ほとんどの人がわたしのような生活を送っていたはずですから、これまでの日常からはかけ離れた状態です。

では、具体的に日本ではどの程度の人たちにこの第1段階の危機は影響するのでしょうか。下の表は、規模別の企業数と、そこに勤務する従業員の数です。大企業はわずかに1万1000社しかなく、全体のわずか0・3%に過ぎません。従業員数で見ると、全体の3割が大企業に勤める人たちです。

職種によっては、大企業のなかにも業績不振におちいる企業は出てきますが、コロナショック第1段階では主に中小企業が痛手を負うでしょう。

規模別の企業数と従業員数

	企業数	従業員数
大企業	1万1000社	1433万人
中小企業	55万7000社	2234万人
小規模事業者	325万2000社	1127万人
合計	382万社	4794万人

中小企業白書「平成26年経済センサスー基礎調査」を再編加工したもの

※中小企業とは、製造業などで資本金3億円以下または常用雇用者規模300人以下、卸売業で資本金1億円以下または常用雇用者規模100人以下、サービス業で資本金5000万円以下または常用雇用者規模100人以下、小売業で資本金5000万円以下または常用雇用者規模50人以下を指す。小規模事業者とは、中小企業のうち製造業その他の場合従業員が20名以下、商業・サービス業の場合従業員が5名以下のことという。それ以外を大企業とする

つまり、日本においては、99%以上の企業と、上場企業を合わせた全体の従業員数のうちの7割の人たちの生活に大きなインパクトを及ぼしていることになります。

業界ごとに見た場合、飲食、旅行（観光・宿泊）、展示会、教育、エンターテインメント（イベント、ショー、映画、テーマパークなど）、小売、住宅関連……ローカルに根ざしたビ

ジネスモデルを持つ事業全般に影響が及びます。

なお、この第1段階においては、国家公務員や大企業に勤める従業員の人たちにとっては、日常生活の行動そのものには影響があるものの、給与がいきなり何割も減ったということはほとんど起きません。


第2段階では、第1段階で影響を受けた7割の従業員の消費意欲が低下するため、マスマーケットに事業展開している大企業にも影響が出てきます。

この段階になると、中小企業で働く従業員7割以外の、大企業で働く残りの3割の従業員にもコロナショックは影響を及ぼすことになるでしょう。

業種によっては、または財務体質が弱い大企業においては、大規模なリストラが断行されます。**大企業へのインパクトは、２０２０年後半から顕著に現れる可能性があると予測できます。**

大企業の多くは、グローバルに事業展開しています。しかし、このコロナショックによりグローバルサプライチェーン（多くの国にまたがる生産・流通のネットワーク）が脆《もろ》くも崩れ去り、世界の需要に対応することができないため、グローバルでの事業基盤が揺らいでいくことになります。

それら大企業の低迷は、第3段階の危機を誘発します。大企業の業績低迷による株価の下落、それによる金融資産の目減りなどです。

民間企業における債務残高は、GDP（国内総生産）比で100％を超えます。その多くを占めるのが大企業であり、大企業の低迷は金融機関へ大きなインパクトを与えることになるのです。コロナショックは、2008年から韓国で起きた金融危機と同規模のものを、世界中で引き起こす可能性があると見ていいでしょう。

アフターコロナの新世界におけるビジネス環境の変化は、この3段階で広がっていきます。この第2章「ビジネス2・0」では、各業界においてこれから起こる変化と、それらをビジネスチャンスとしてどう活かしていけるかを考えていきます。

業種や規模の大小を問わず共通しているのは、第1章で述べてきたようなワークスタイルの変容であり、それに伴う企業マネジメントの変化、業務全般にわたる真のDX（デジタルトランスフォーメーション）が起こること。

大きな構造変化が、音を立てずに世界規模で進んでいます。

大企業・グローバル企業

コロナという〝劇薬〟が新陳代謝を起こす

この第2章の導入に書きましたが、第1段階のあとの第2段階として、大企業やグローバル企業への危機が到来します。第1段階で影響を受けるのは、全従業員の7割を占める中小企業に勤務するマスマーケットの人たち（残り3割は大企業に勤務）。日本全体で事業を展開する大企業・グローバル企業だからこそ、そうしたマスマーケットでの消費の落ち込みが、ボディブローのように効いてきます。

2020年3月からの数カ月の期間は、日本国内に住むすべての人にとって深刻な影響がありました。ゆえに、ほとんどの地域におけるほとんどの産業で急激に売上が落ち込みました。緊急事態宣言が解除され段階を経て〝通常営業〟へと戻り、アフターコロナの時代が幕を開けたとき——**第1段階の危機で致命的な傷を負った全従業員の7割のうちのマスマーケットの人たちの消費は、そうやすやすと戻ってきません。**

その理由は明白で、財務体質が弱い中小企業に勤めているからであり、人出の増減に直結するローカルビジネスに従事しているからです。給料が下がる、店の売上が下がる……それでは、消費が上向くはずがありません。

これからやってくるマスマーケットの落ち込みを次のように仮定してみます。中小企業に勤務する人々の消費意欲は5割落ち込み、残りの3割の大企業などに勤務する人々の消費意欲は3割程度落ち込む。

この仮定の数字は、最悪なシナリオかもしれません。ただ、それが現実のものとなったとき、マスマーケット全体では約45%、消費が減少することが想定されるのです。

マスマーケットでの消費が約45%減少し、その状態が1年続くとしましょう。経済産業省などが公表する日本全体の企業の営業利益率は4%程度です。売上が約45%落ち込めば、計算上、月商の40%程度がキャッシュアウトする危険があります（もちろん営業外収益などもあり単純にこの計算が当てはまらない企業は多数あります）。

日本の大企業は、平均して月商の3カ月分の手元資金を保持しているといいます。**そのような企業は、このマスマーケットの落ち込みが8カ月続くと、資金がショートします。**第1段階のコロナショックを乗り越えたあとに、マスマーケットでのこうした危機が待ち構えている可能性は否めません。

これはかなりドライな見方になりますが、考え方によれば膿を出し切る機会ともいえます。**日本全体の営業利益率が4％程度というのは、世界的に見てあきらかに低い水準**なのです。アメリカなどは約12％前後を推移しています。リーマンショック直後でさえ、アメリカは8％でした。

コロナショックは、日本の非効率な産業、企業、事業を市場から退場させる〝劇薬〟となり得ます。世界恐慌以来のこの世界的危機の前に、ついに退場を余儀無くされる企業が続出するのです。

いよいよ、日本を変える新陳代謝が起きるのかもしれません。

昭和的な古い経営体質のなか、事業は停滞するもののどうにかこうにか前年と同程度の収益でやれてきてしまった。ＩＴの整備もどこか中途半端、そして、今回のコロナショックにあってもテレワークが浸透しないアナログさ。その環境にすがる従業員たち……。

人というのは、環境に依存し環境に対応して生きています。だからこそ、古い経営体質の企業がしっかりと環境を整備し、テレワークにも簡単に対応できる効率経営に置き換えさえすれば、その従業員たちもきっと新しい環境に適応しはじめることでしょう。

もちろん、仮に勤務する企業が倒産したとしても、そこで働く人々が生涯、路頭に迷うわけではありません。新しく生まれた、これまでよりも効率的な経営の企業の成長に伴い、再びチャンスが巡ってくるはずです。

そのときのための、準備をすることが賢明です。

飲食

加速するフードデリバリー市場の拡大

新型コロナウイルスの感染拡大により、2020年2〜3月頃から外出自粛がはじまり、飲食店の営業自粛や営業時間短縮などの動きが見られました。店舗によっては、要請に従い営業時間を短縮し、換気や消毒に気をつけながら営業していたものの、通行人から「クラスター（集団感染）を引き起こすつもりか！」「そこまでしてお金を稼ぎたいのか！」などといった心無い非難を受け、営業がままならず閉店の道を選ばざるを得なかったお店もあったようです。

そんな状況に置かれた飲食店の多くで、「デリバリー」をはじめることでどうにかサバイバルしようという動きが活発化しました。

ここで、アフターコロナの新世界において飲食業界がどうなっていくのかを考える前に、そもそも日本における食市場についておさらいします。

食市場は大きく3つに分類することができます。

その分類は、「外食」「中食」「内食」です。外食はご存じの通りレストランや居酒屋など外のお店で食べること。内食とはスーパーで食材を買ってきて、家で料理をして食べること。そのあいだにある中食とは、コンビニやスーパーで買うお弁当やお惣菜など、調理されたものを購入し持ち帰って食べる形式のことです。

食全体の市場規模は71兆円で、外食市場が25兆6561億円、中食市場が10兆555億円、内食市場が35兆3281億円という状況です（「惣菜白書」2019年版より）。

今回、たくさんの飲食店が生き残りのためにどうにか活路を見出そうとしたデリバリー市場は外食市場のなかに集計され、2018年時点で約4000億円の規模となっています（「エヌピーディー・ジャパン」調べ）。

デリバリー市場は、黒船のウーバーイーツ（Uber Eats）の参入などもあり、ここ数年は拡大傾向にありました。とはいえ、外食市場全体から考えた場合、わずかに1・6％（2018年参考）を占めるに過ぎません。

外食産業の営業自粛が仮に4カ月続いたとすれば、市場へのインパクトは約8兆円。営業時間が半分に短縮されたとするならば、約4兆円の市場がなくなる可能性があります。

これは、現状のデリバリー市場の10倍の規模に相当する数字です。よって、通常営業が困難になった飲食店の多くがデリバリーに挑んでいくのは当然の流れでしょう。

ちなみに、飲食店営業許可を持っていればそのままデリバリーも可能であり、既存の飲食店舗がデリバリーを開始するかどうかは、お店側の営業努力次第。障壁は高くありません。

コロナ以降、フードデリバリーの恩恵に与《あずか》った消費者は多かったはずです。とくに都市部に住む人たちにとってデリバリーは新たな習慣となります。これから、新型コロナウイルスの第2波、第3波が襲ってくることを想定した場合、対面での接客や料理の提供がむずかしくなることはいうまでもありません。よって、デリバリーの市場規模は数兆円規模になるとも予想できます。

これまではレストランや居酒屋というシンプルな形態を取っていた飲食店がデリバリーをはじめることに加え、**デリバリー専門の業態が現れるのも当然のこと**です。デリバリー専門業者が増加してくるという視点から飲食業界をとらえると、どういう未来が見えてくるのでしょうか？

まず、日本には、全国に約61万9700の飲食店舗があります。そのうち東京都内には約8万3800店舗、大阪には約5万900店舗が存在します（「平成26年経済センサス-基礎調査」調べ）。

とくに東京の赤坂地区などは密集するかたちで飲食店が並び、店舗の密度は世界最大級だとされるほどです。赤坂は日本を代表するオフィス街ですが、まさにこれまでの飲食業における最重要課題は立地でした。駅から、あるいはオフィス街からどれだけ近いかが勝負の分かれ目。もちろん、駅から離れていても人気の店舗は存在しますが、それはかなりのレアケースです。

これからデリバリー市場が拡大し数兆円規模に育つようなら、外食市場の1割から2割がそれらに取って代わられることになります。そうなると、62万近くある店舗は過剰な状態です。いまよりも、**5万店舗から10万店舗が閉店していく可能性がある**でしょう。そして、もし新型コロナウイルスが完全に終息したとしても、しばらくのあいだは景気も冷え込みますし、デリバリーの便利さに気づいた人はたくさんいます。すると、都心にあるような24時間営業店舗も縮小の道をたどると考えられます。

デリバリー専門店との価格競争に、駅近のテナント料が高い飲食店は負けていくのです。

もちろん、デリバリーは単価が安いので数をさばく勝負になりますが、立地をそれほど選ばないという利点はやはり大きいでしょう。

1991年のバブル絶頂期には、日本全国で約80万店舗もの飲食店が存在しました。そこからこれまで、約30年で約18万店舗がなくなったことになります。そのあいだに増えたのはコンビニで、現在、日本全国に約5万5000店舗存在します。

デリバリー専門店が増えていく場合、その立地は駅から徒歩20分などでも構いません。安い立地で、地理的にデリバリー効率の高い場所が選ばれることになります。全国に広がったコンビニやスーパーの敷地内に、デリバリーフード用のセントラルキッチンが増設される。または、スーパーなどに商材をおろすというような連携策も必ず出てきます。

食市場は、外食、中食、内食の3つから構成されると最初に述べましたが、**近い将来、外食、中食、内食、そして配食（デリバリー）の4つの分類で市場が語られる**のではないでしょうか。

ただし、ここで気をつけるべきは食中毒。とくに日本の夏場は高温多湿で蒸し暑いことで有名です。急ごしらえでデリバリーの展開をはじめた飲食店などには、デリバリーする料理の選別やオペレーションが不十分な店舗もあるでしょう。この本が刊行される8月までは、間違いなくこの食中毒の話題がメディアを賑わせるはずです。

また、**現在は飲食店営業許可でデリバリーすることが可能ですが、デリバリー市場の拡大に伴いデリバリー専門の許認可制度が整備されることになる**のではないでしょうか。わたしはそう見ています。

リアルに集客可能な店舗を構え、料理提供をする飲食店舗の新しい活路についても触れておきます。

第1章の「対面」の項にあったように、アフターコロナの世界ではリアルで会うことの価値がこれまでとは激変します。リアルで会うことの価値が高まり、リアルで会うことそのものが希少化します。

そんななかで、「キッチンシェアリング」の需要が拡大することが予測されます。単に外食をともにするのではなく、河原にバーベキューに行く感覚で市街の飲食店のキッチンをレンタルし、そこでポットラック（料理の持ち寄り）をしつつ、みんなで食事を楽しむ新しい外食のかたちです。

バーベキューピットのレンタル、ダイニングキッチンのレンタルなど、リアルな場の出会いをより盛り上げるニーズが高まっていくのではないでしょうか。

カフェのあり方も変わっていくでしょう。コーヒーチェーン店でリモートワークする人はここ数年多く見かけるようになりました。しかしそこにはほかの利用者もたくさんいて、快適にオンラインミーティングができる環境ではありませんでした。それ以前に、通話を禁止している店舗も存在します。

しかし、これからはそうはいかない。**ワイファイ（Wi-Fi）を提供していないお店は論外でしょうし、オンラインミーティングがその場で行われることを前提にした店内の内装のつくり込みも必要**となってきます。現在でも一部のコーヒーチェーン店には「ひとり席」を完備しているところがありますが、そうした内装がスタンダードになります。

料金体系を月額のサブスクリプションモデルにしても、需要は大きいでしょう。

第1章の「通勤」の項でも述べましたが、これからの企業はリモートワークの推奨やオフィス規模の縮小の観点から、従業員の自宅からオフィスのあいだに点在するカフェやコワーキングスペースの状態を把握し、そこを従業員が有効活用できるようなサポートをすることが求められます。

カフェ側もそうした企業の動きに合わせ、積極的に客を取り込む料金プランを考えることが求められますし、それがビジネスチャンスにつながるはずです。

旅行・観光・宿泊

旅行は〝体験〟。国内旅行需要は早めに回復

新型コロナウイルスの感染者が増え、世界各国の自粛傾向が強まるにつれ、最初に影響を受けたのが旅行業界でした。とくに、渡航制限が加わったことで、インバウンドの旅行者数は劇的に落ち込みました。

ダイヤモンド・プリンセス号内の集団感染のニュースが世界を駆け巡った直後、日本からの渡航者の入国を制限した国は多数にわたりました。その後、２０２０年３月後半にはじまった新型コロナウイルスの欧米における大流行の影響で、世界的に国を跨いだ行き来は激減します。

具体的な数字で見ると、**２０２０年５月の訪日外国人客は、前年同月比の99・９％減の１７００人でした。凄まじい減り方です。この減少は、そのまま航空業界、観光・宿泊業界の業績の落ち込みに直結するもの**です。

インバウンド市場は、2020年に開催予定だった東京オリンピックに目がけ需要が年々高まっていました。訪日外国人客は2013年の1036万人から2019年には3188万人となり、この6年で3倍にも増えていたのです（日本政府観光局調べ）。これからの状況にもよりますが、2020年は1000万人を切るのではないでしょうか。日本は観光立国を標榜《ひょうぼう》していたため、今回のコロナショックは極めて大きな影響を各業界に及ぼしました。

この先、再びインバウンド旅行者は3000万人を超える水準にまで戻るのでしょうか？　日本人の旅行需要は回復するのでしょうか？　世界有数の投資家であるウォーレン・バフェット氏は、保有する航空会社株すべてを売却したといいます。バフェット氏は、「もう、むかしの水準には戻らない」という見通しを示したのです。

旅行という行為が提供するのは、そこにしかない〝体験〟です。これは、オンラインで注文し、自宅に届けることができるモノとは異なるもの。その場所にしかない体験は、やはりその場所に行かない限り手にすることはできません。そこで、わたしはこう予測します。

これまでの水準に戻すまでには数年を要するが、確実に旅行者数は回復する。

回復の順序としては、まず日本人による国内旅行の需要が先に回復します。緊急事態宣言が解除され、外出自粛もいずれは終わりが訪れます。そのとき日本人は、「海外からの渡航は制限されていて感染する可能性は低いから、国内は安全な空間だ」と考え、動きを活性化させるでしょう。

しかし、**インバウンドに関しては一筋縄ではいきません。**ワクチンが一般普及したあとであれば人の往来は以前の水準にまで戻るかもしれませんが、それまでは各国ごとに「どこの国への渡航は許可」「どこの国への渡航は制限付き」などと、バラバラな動きになるからです。

2020年5月時点では、日本はPCR検査数がOECD（経済協力開発機構）加盟国のなかではメキシコに次いで少なく、海外諸国から「大規模な検査をすべきだ」との意見が絶えませんでした。そう指摘している海外諸国は、日本への渡航を制限する措置を続けることが予想されます。また、日本からの渡航受け入れを制限する国も残るでしょう。

新型コロナウイルスへの対抗策が、世界規模で標準化された状況にならなければ、これ

までのような自由な往来はむずかしい――。

それゆえに、インバウンド市場の回復には時間がかかります。飛行機に搭乗する際にセキュリティチェックを受けることは世界標準となっていますが、場合によっては、**バイタルチェックの世界標準ルールが整備される**こともあるでしょう。その基準や判断が世界で共通化されない限り、渡航制限は完全には撤廃されないと考えられます。

東京オリンピックで需要が拡大していくことを見越し、新たに建設された（または建設中の）ホテルの運営企業や、海外からの旅行者の需要増に施設の供給が追いつかないなかで宿泊客を獲得することができていたティア2（二次請け）の事業者たちは、間違いなく苦境に立たされます。旅行に関する業界は、とくにインバウンドについてはここから2〜3年は苦しい時期が続くことになるでしょう。

では、今後の打開策について考えてみます。ここまでインバウンド回復のむずかしさや悲観的な持論を展開しましたが、観光業全体を考えてみると見えてくることがあります。

2017年の日本の観光業全体の市場規模は、26・7兆円ありました。インバウンド市場はここ数年たしかに拡大してきましたが、実はまだそのうちの4・4兆円程度なのです（観光庁平成30年版観光白書調べ）。

数字だけで判断すれば、観光ビジネスはまずは日本人向け、国内向けのサービスに特化することからはじめるのが得策だと思います。**2019年の訪日外国人客は3000万人を超えましたが、日本人による国内旅行者ののべ人数はその10倍の3億人**（日本国内に宿泊したケース）にもなります。密を避けた郊外、田舎のアウトドアなど、確実にそこから需要は戻ってくるのではないでしょうか。

そのうえで、インバウンドでもフォーカスするべき点はあります。3000万人を超える訪日外国人客のうち、上位4カ国・地域（中国、韓国、香港、台湾）でなんと75％を占めるのです（日本政府観光局調べ）。つまり、この4カ国・地域だけにフォーカスして渡航ルールを協議すれば、日本のインバウンドも復活可能ということです。もちろん新型コロナウイルスや、これから出現するかもしれない新たなウイルスへの対抗策は重要になりますが、インバウンド復活の一手かと考えます。

最後に、もうひとつだけ付け加えます。
ひとつの打開策を述べたあとですが……そもそもの問題として、多くの日本人の〝本心〟はどうかということがあります。
インバウンドを狙った業態の関係者たちは、1分1秒、一刻も早く訪日外国人客に戻ってきてほしいと願っているにちがいありません。しかし、直接的に関係のない人たちは、パンデミックを、そして自分自身や家族への感染をおそれています。日本の景気を考慮すれば可能な限り潤《うるお》ってほしい。でも、心のなかではなんとなく怖さを感じる……。

そんな、どこか居心地の悪い気分が長く続くのではないかと思います。

イベント・展示会

エッジとレア度が生き残りの分かれ目

新製品の売り出しなどの目的で、いまだに人気が高い販促施策のひとつに、イベント・展示会があります。大規模な開催場所としては、幕張メッセや東京ビッグサイトなどが有名でしょうか。誰もがインターネットを活用し、スマートフォンを持つ時代においても、それらは毎回のように活況を呈《てい》していました。

インターネットを駆使するスタートアップ企業においても、イベント・展示会はサービスの初期の認知のために必須の戦略とされます。オープンイノベーションを実践する場のひとつとしてのピッチイベントでの登壇、有力ベンチャーキャピタルやウェブメディアが主催するイベント・展示会へのブース出展など、インターネットですべてを完結することができるスタートアップ企業も、創業当初は足で稼ぐかたちでの事業展開がスタンダードでした。

大小問わず、それらのイベント・展示会のほぼすべてがコロナショックにおいて中止となりました。理由は明白で、イベント・展示会会場は「3密」のおそれがあるためです。リアルな接点を持ち事業を拡大しようとする企業は大きな打撃を受けました。イベント・展示会を主催する企業にとっては、死線を彷徨《さまよ》うほどの影響があったことは火を見るよりもあきらかです。

コロナ以降、多くの企業はオンラインでの営業に転換しはじめました。オンラインでも認知を広げる手立てを考え、オンラインで営業のクロージングまで完結する業務フローを組んでいく――。ハードルが高いながらも、一部の企業はオンラインのみでも回りはじめる光明《こうみょう》を見出しているところです。

今回の新型コロナウイルスが終息したとしても、近い将来、別の新型コロナウイルスや新たなウイルスが流行する可能性は否定できません。それを前提にすると、これまでのような大規模なイベント・展示会のニーズは存在し得るのでしょうか？　スタートアップ企業が好むピッチイベント、メディアが仕掛ける展示会や交流会は、どこまで求められるのでしょうか？　わたしの見立てはこうです。

エッジが効いていないイベント・展示会は淘汰《とうた》される。レア度が高く、選び抜かれたイベント・展示会は残る。

たとえば、「東京モーターショー」や、「東京ゲームショウ」といった年に1回（多くても2、3回）程度行われるような超ビッグな催し物は、新型コロナウイルスが終息すれば再び活性化すると思います。

それだけのニーズがありますし、これらはもう〝文化〟といえるものだからです。

東京モーターショーのようなビッグイベントの場合は、会場でのリアルな露出だけでなく、新聞、テレビ、雑誌、ウェブメディアでの露出にもつながります。そうした副次的効果があるか否かは、やはり大きなものなのです。

しかし、それよりも規模が劣《おと》るイベントは、事情がまったく異なります。単純に、イベント・展示会のコスト効率をその会場の展示什器、展示ブースに来る来場者数で考えた場合、採算性は厳しいのが実情です。実際、赤字で行われてきたイベント・展示会などは珍しくありません。

これからは、イベント・展示会のオンライン化をうたうサービスが多数リリースされることが予想されます。**規模が小さい、年に一度などのレア感がない、メディアとの連携が薄いイベントは、そうしたオンラインサービスへ転換されていく**ことになります。

少し見方を変えて、海外からの来場者を多く見込んできたイベントはどのようになっていくのでしょうか？

海外からの集客力があったイベントは、数年後には再び多くの来場者が見込めると予測します。大規模なイベントを実施することが、営業戦略上において意義深いからという理由ではありません。実は、**イベント参加を理由に来日する人の多くは、日本での観光も目的にしている**のです。

これまで毎年のように、世界中のたくさんの人たちが海外出張をしてきましたが、その出張のなかには息抜きや観光の時間が必ず含まれています。

東京で3日間にわたるイベントがあったとして、海外からの参加者でフル来場している人は全体の何割いるでしょうか？　参加者の多くは、2日目か最終日には東京観光やグルメツアー、それこそ京都などの観光地に足を延ばす人がほとんどだと思います。

アフターコロナの新世界では、そうした自由な時間は脳をリフレッシュさせるためのひとつのリモートワークの時間ともとらえることができ、**海外からの集客を狙うイベントのオーガナイザーは、国内観光ツアーを組み込んだ出展プランを充実させることで生き残りをかけることになる**と思います。

ライブ・ショービジネス

オンライン生配信で新しい価値を提供

新型コロナウイルスの感染者数が増え、日本国内で危機感が高まった2020年3月頃から、音楽やお笑いのライブ、ミュージカル、演劇・舞台、ダンスイベントなどのほとんどが中止となりました。

4月以降になると、テレビ放送にも変化が起こりはじめます。本来であればスタジオ出演するはずのタレントが、自宅からリモートで出演する機会が増えます。リモート出演の場合、大人数だと画面に入りきらないことや音声が混乱することなどから、人数も絞られます。帯番組に関しても、レギュラータレントが日ごとに入れ替わるかたちでの出演に。ドラマや映画にしても、ロケ撮影ができないのは、もう致命的です。ドラマは過去に人気を博した作品の再放送が続き、日本国内における映画館の興行収入では驚きの数字が出ました。**２０１９年４月の興行収入と比べ、２０２０年４月は、96.３％減となった**というのです。これはもう、壊滅的な状況です。

もちろんこれらは、緊急事態宣言の解除を経て少しずつですが通常の形式に戻っていくことでしょう。しかし、完全に新型コロナウイルスがこの世からなくならない限り、もう元には戻れないようにも思えてきます。第2波、第3波がまた襲ってきた場合、以前のようなスタイルだけで続けるのはあまりにもリスクが高過ぎます。

これからの業界を占うひとつのヒントが、２０２０年5月6日にありました。三谷幸喜《みたにこうき》さん作の『12人の優しい日本人』という演劇のライブ配信イベントがそれです。約2時間のこの演劇は、14時からの前編と18時からの後編に分かれて配信されました。

この取り組みの特筆すべきところは、13人の俳優が自宅から生配信で朗読劇を提供したことにあります。俳優の近藤芳正《こんどうよしまさ》さんが発起人《ほっきにん》となりはじまった企画で、出演者全員がカメラの前に座ったままの状態でストーリーが展開されます。ユーチューブ（YouTube）上で配信され、最初の配信から24時間が経過した5月7日夕方の時点で、なんと12万人を超える視聴があったというから驚きです。

自宅でリラックスしながら、俳優たちの生の演技をパソコンのモニターを通じて見ることができるというこれまでとは異なる味わいと、ある種の興奮を覚えながらわたしも鑑賞しました。この作品には13人の俳優が出演していましたが、**アフターコロナではよりその規模の大小が生まれ、それこそ俳優一人ひとりがファンにダイレクトに届ける配信が増えていく**かもしれません。

そして、ひとりで配信をすることで、その演者のこれまで見えなかった魅力が発揮され、新たなスターを輩出していく可能性も秘めています。

音楽の世界でも同様です。音楽媒体は、レコードやCDの実物からダウンロードコンテンツに変化を遂げ、さらにそこから定額のサブスクリプションモデルが主流になってきました。これは当然のことですが、1990年代に連発したCDのミリオンセラーはもう二度と出ないでしょう。数字的な評価は、定額サービスで何回再生されたか、ユーチューブなどの無料プラットフォーム上で何回再生されたかという指標に置き換わりました。

その変化のなかで、ファンが価値を見出したのが「ライブ」です。アーティストによる生の演奏と歌声の臨場感、その場でしか味わえない一体感を求め、2時間程度のライブに

5000円から1万5000円程度を支出し、たくさんのライブを観に行くようになりました。夏フェスをはじめとした大規模イベントが毎年のようにあることも付け加えておきます。また、特大モニターで繰り広げられる最新技術を駆使した映像演出や、照明技術の進歩も、ライブの価値向上に一役買いました。

ライブの市場規模拡大に関しては、ここ10年間における数字を見れば一目瞭然です。音楽ライブ市場は、2009年の1500億円から、2018年には3800億円を超える規模に拡大(ぴあ総研調べ)。一方、CDをはじめとした音楽パッケージの市場規模は半減しています。

多くのファンとともに共有できる空間と体験——そして、生でアーティストを見ることができる機会に人は価値を見出しました。しかし、この新型コロナウイルスの出現により、ライブがこれまでのように実施できなくなるという危機を迎えました。では、音楽産業の未来は暗いのでしょうか？　わたしはそうは思いません。

オンラインでの生配信による、ファンとの交流というチャンスが広がったからです。

数百人、数千人、数万人を超えるようなファンがひとつのライブ会場に集まり、数十メートル離れた距離にいるアーティストの歌声を聞くというのがこれまでのスタイルでした。

でも、数人〜数十人限定の参加者で、オンラインツールを通じてダイレクトに鑑賞できる時間も悪くありません。ファンにとっては、どちらも魅力的な時間であり、体験でしょう。これまでは後者の機会が極めて少なかっただけです。ファンからすれば、アーティストを独り占めできたような気持ちになるのではないでしょうか。

ビッグネームのアーティストになると、年末にクリスマスディナーショーなどを開催しています。それこそ、チケットが5万円以上するような高額なものも珍しくありません。なかには、プレミア付きチケットもあり、争奪戦になることもあります。

そのディナーショーでは一流ホテルのコックが腕をふるった美味しい料理も提供されますが、ファンが価値を感じるのは、その料理よりも、小さな空間で大好きなアーティストと時間をともにできることです。

その**〝価値〟を、オンライン上の生配信というかたちで提供すればいい**のです。オンライン配信の場合なら、アーティストには長時間の移動がありません。すると1日の時間が有効に使えるというメリットが生まれます。効率的なやり方をすれば、30分のセッションを1日で20回配信することも可能でしょう。パソコンのモニターやスマホ画面の前で待ち構えているのは、プライベートな世界観でコミュニケーションを待ち望むファンです。

たとえば、1セッションのチケットが5000円、限定30人の参加とします。1セッションの売上は15万円。それを1日10セットやれば、150万円の売上です。月に10回開催することができれば、1500万円の売上が立つのです。

「いやいや、そんな節操《せっそう》のないやり方はあり得ないよ」と思われた人もいるはずです。でも、再び新型コロナウイルスが大流行することがないとは言い切れません。いや、新型コロナウイルス以外のウイルスが、パンデミックを起こすかもしれない。

ファンがアーティストとプライベートに近いかたちで触れ合う機会を求めているのですから、双方納得のうえならこうしたビジネスが花開く可能性はあり得ます。これは**アーティストに限らず、お笑い芸人、役者、ダンサーなどすべての人たちが取り組んでいく、新たな表現のスタイルになる**はずです。

ここで押さえておきたいのは、ユーチューブを使った配信は、この新たなスタイルには馴染まないということです。近年、ユーチューバーと呼ばれる人々の活躍も目立ちますが、そのビジネスモデルは、チャンネル登録数を増やし、再生回数を増大させることにあります。動画は基本すべて録画されたもの。配信されている動画の途中にユーチューブが広告を挟み込み、再生回数に応じて広告収益が配信者に入る仕組みです。

しかし、動画の途中で差し込まれる広告は、ファンが待ち望むものでは決してありませんし、ましてや、広告が勝手に入り込んできては世界観が壊れてしまいます。

また、ユーチューブでの動画の視聴にはお金を払う必要がありません。そのため、視聴者のなかには、ファンでない人も、それこそアンチも含まれてしまいます。それでは、配信者と、配信者のことが大好きなファンだけとでつくられる〝特別な空間・体験〟にはなり得ません。

積極的に取り組むべきは、お金を取れるオリジナルの配信スタイルの模索です。すべてがオンライン化される土壌が広がったいまこそ、ショービジネスは、生配信によるファンとの直接的な交流が花開くタイミングなのです。**生だからこその価値、ダイレクトにコミュニケーションが取れるからこその価値を提供できる人が生き残る**にちがいありません。

補足として、決済のことにも触れておきます。超有名人であれば、これまで同様にチケット販売代行サービスや直接的なチケットの売買が行われるかもしれませんが、もっと簡易に支払いを受けることもできます。

大阪にある「此花《このはな》 千鳥亭《ちどりてい》」のズーム（Zoom）を使った寄席では、電子マネーのペイペイ（PayPay）を活用した興味深い試みをしていました。ペイペイは、自身のペイペイ残高から相手ユーザーに直接送金することが可能です。その方法は簡単で、送金用のQRコードを読み取るだけ。

QRコードを読み込むだけで送金できるということは、QRコードを配信画面上に表示できれば、視聴者からの送金を受け取ることができるということです。

「此花 千鳥亭」のオンライン落語イベントでは、配信画面の背景に送金用のQRコードを表示させ、その状態で落語を披露していました。視聴者は、面白ければQRコードを読み取り、ペイペイを通じて送金するという流れです。

QRコードの見た目をした「おひねり」というわけです。ちょっと粋な試みではありませんか？

第1章でも何度かお伝えしてきたように、コロナ以降、人々の時間は細切れになっていきます。そして、どんどんオンライン化の動きが進めば、15分でも30分でも、オンライン上での生配信イベントは成立するでしょう。課金の仕組みも様々なプラットフォームを駆使すれば簡単に実現できます。世界最大のSNSであるフェイスブックも、ライブ動画での〝投げ銭〟機能のリリースを計画していることを2020年4月に発表しています。

新型コロナウイルスは、これまでのスタンダードなやり方を破壊しました。しかし、**考**

え方次第で新たな手法を生み出す好機ともとらえることができます。演者とファンの交流のかたちにも、これから大きな変化が生まれていくと思います。

広告

在宅ワークでプライベートユースが増える

不要不急の外出自粛のように、これからの広告業界は不要不急の広告出稿を控えるようになります。閲覧されているかどうかわからない動画広告や、興味とはかけ離れたものが表示される場合のあるターゲティング広告などを取り下げるといった、広告出稿の選別の動きが広がるでしょう。

企業の売上が一気に落ち込むのですから、これまでのように広告予算をかけるわけにはいきませんし、本当に効果のあるものに絞り込まれていくのは誰もが理解できることだと思います。

生活必需品や日用品の需要は継続的にありますが、２０２０年末頃までは、嗜好品や贅沢品、また数年に一度の買い替えで済む高額商品（車や家電など）に関しては、広告によってユーザーニーズを掘り起こすことは想定しにくいでしょう。

広告を届けるためのターゲティングも確実に変わってきます。これまでは、製品やサービスを、ビジネスユース（仕事で使用すること）かプライベートユース（個人で使用すること）かのふたつで大きく分類して、広告もそのふたつに分けて展開されていました。

しかし、その分類だけではターゲティングは困難になります。在宅ワークの人口が増え続け、仮に1000万人規模になるようであれば、プライベートユースとビジネスユースを織り交ぜた広告を考えていく必要が出てくるからです。

アフターコロナの世界において、たとえば週3日在宅ワークをするならば、1週間のあいだに24時間（8時間×3日）分、新たなプライベートユースとなる時間が突如増えるという計算になります。

ここ数年のウェブ業界のキーワードに、「スマホファースト」というものがありましたが、**これから広告業界では、「ホームファースト」「リモートファースト」という言葉が出てくる**のではないでしょうか。

広告を見る消費者側の生活スタイルが激変し、広告を出したいクライアント企業の業態

も大きく変わっていく――。

これまでの広告業界にあった常識が、まったく通用しなくなるかもしれません。

景気が後退したとき、企業がまず真っ先にコストカットするのが広告です。ウィズコロナ、アフターコロナにおいて、消費者のマインドがどう変わっていくのか？ それをしっかりとリサーチしないことには、漠然と広告を打っても効果を得ることは不可能です。

しばらくのあいだは、広告業界が主導する、リサーチのためのウェブイベントなどが多く開催されていくと思います。

製造

都心に勤務する従業員も地方へと移住する

日本において製造業は、まさに中心産業のひとつです。業界全体で約９２０万人が働き、それは全産業の14・9％を占める人数となっています（「平成26年経済センサス―基礎調査」調べ）。日本には家電から化学まで多種多様な分野の製造業が存在しますが、工場を有する製造業は、その業態を変更せざるを得ないでしょう。

製造業においても、近年はAIロボットが積極的に導入されつつありますが、**今回のコロナショックを転機として、人的コストの負担があらためて浮き彫りになりました。よって、無人化がさらに推し進められる**ことは間違いありません。

同時に、大きな変化が起こるのは都心にあるオフィスの状況です。日本の製造業界によくあるパターンとしては、地代が安い地方に工場を置き、マネジメント、営業、管理系などは都心のオフィスビルに入居しているというものでした。

このモデルも変わってきます。**リモートワークが進むことで、都心のオフィスにいた従業員を日本各地の地方工場近辺に移してもいい**ことになります。

そういったモデルが稼働しはじめ、実際に会社全体としての生産性が変わらないマネジメントが実現できるのであれば、その流れはどんどん加速します。

東京をはじめとした都会を好む人もいますが、田舎暮らしを望む人も少なくありません。若者を対象に、「田舎暮らしに憧れるか」というようなアンケートは毎年のように実施されますが、多くの場合で過半数が「はい」と答えています。実際、住環境や食、物件を含むすべての物価、どれを取っても都会にはない魅力が田舎(地方)にはあります。

大学への入学や、社会人になるときなどは、東京や大阪といった大都会に憧れ田舎から都会に移る人は多いものです。しかし、結婚して子どもができたくらいから、もっと広い家に住みたい、マイホームがほしい、子どものために自然豊かな環境に身を置きたい、無農薬野菜や有機野菜を食べたい、といったような若い頃にはなかった願望が出てきます。

都心の企業に勤めることが、もっとも経済的に豊かになる近道だという考えもあります。だからこそ、毎朝満員電車に揺られることに耐えることができたのかもしれない。

しかし、**都心に本社を構える企業に籍を置きながら、在宅・リモートワークで生活が成り立ち給料も変わらないということであれば、多くの人が都会に住み続ける意義を自分自身に問いはじめる**のではないでしょうか。

都内にマネジメント、営業、管理系の部署があり、地方に工場がある。こんな典型的な構造を持つ製造業の企業は、コロナショックを経験したこれから先、「都心から地方へ」という動きが進んでいくはずです。

では、おおよそでその規模を計算してみましょう。全体で約920万人の従業員がいるとの前提で、半数の460万人は東京圏、名古屋圏、大阪圏にこれまでは住んでいたとします。それらの多くの人たちが在宅・リモートワークに転換し、なおかつ希望する場合は、工場がある田舎（地方）暮らしができる。希望者が約3割だとしても、約１３８万人が都会を離れることになるのです。

東京都の人口は２０００年では１２００万人強でした。それが２０１９年には１４００万人に届こうかという勢いで増えてきました。これでは地方の人材は不足しますし、逆に都心は人が飽和状態になりかねません。

どこにいても仕事ができるとするならば、**１００万人単位の人たちが地方へ移住する可能性がある**のです。

不動産

「単なる場所」を提供するだけでは大苦戦

多くの人々が在宅・リモートワークにシフトしはじめるということは、オフィスへ通勤する機会が減ることを意味します。これは全国的に広がる動きですが、新型コロナウイルスの影響によって、都会にあるオフィスビルの不動産需要がどのように変化するかを考えてみます。

まず、コロナ以前の状況をおさらいします。

マクロで見たとき、渋谷駅周辺の大規模再開発を筆頭に都心への集中は長らく続いていました。都心5区といわれる千代田区、中央区、港区、新宿区、渋谷区の2019年12月のオフィス空室率は1・55％と極めて低い水準で、賃料は、1坪あたり2万2206円と72カ月連続で上昇していました（三鬼商事調べ）。

当然、この市場には大きなブレーキがかかります。都心5区の全業種の全企業が在宅・リモートワーク可にシフトするわけではないので、これは仮のイメージですが、従業員の3割を在宅・リモートワークに切り替えるとするなら、オフィス空室率は一気に3割を超えることになるでしょう。しかし、さすがにそれは大袈裟な数字かもしれません。

では、リーマンショックが起きたあとの数字はどうだったかを見てみます。2012年のオフィス空室率の最高値は、8％近くまで上昇しました（CBRE調べ）。リーマンショック前の2007年9月は1・5％でしたから、これは2019年12月と同じ水準です。リーマンショックでも、ここを押さえる必要があります。リーマンショックの場合は、金融危機からはじまった一部業種の業績悪化によるオフィス空室率の上昇でした。しかし今回の場合は、**会社の事業運営体制の変更に伴うオフィスの再編、移転です。そして、一部業種ではなく、多くの業種で経営困難になって事業を畳んだ結果のオフィス空室率の上昇**です。

では、これはどうでしょうか？

1割の従業員が在宅・リモートワークにシフトする。これはまだ現実的ですし楽観的に聞こえるはずです。もっと多くの人々が在宅・リモートワークにシフトするのではというのが読者のみなさんの感覚ではないかと思います。しかしながら、**1割、たった10%がシフトするだけで、単純計算でオフィス空室率は1割以上となり、リーマンショック後の最高値を超えてしまう**のです。

オフィス契約の解約には、一般的に3カ月前から6カ月前の事前通告が必要です。解約に関して、早い企業で2020年4月末までに決断していたとして、6カ月前の事前通告をした場合だと10月末が退去時期となります。2020年後半より、都心のオフィス不動産は長い冬の時代が到来する気がしてなりません。

住宅市場はどうでしょうか。新設住宅の着工戸数は、2018年度95万戸であり、2030年度にかけて63万戸まで減少していくという予測がありました（2019年6月、野村総合研究所調べ）。

アフターコロナの時代、在宅・リモートワークにシフトしていく「リモート人口」は、「製造」の項でも触れましたが、１００万人を超える可能性を秘めています。これによって、都心での住宅需要の低下と、田舎や郊外における住宅需要の上昇のふたつが同時に起きていくかもしれません。

都心の住宅価格は値下がり傾向となり、田舎の住宅価格は上昇傾向に。これまでとは真逆のトレンドが訪れようとしています。

これは補足ですが、一般的にある日本の家のつくりは在宅ワークには不向きだと思います。自分の書斎やライブラリーを持っている人は少数派なのではないでしょうか？　家の一角をコンパクトにオフィススペース化する需要が増え、そのための商品が数多く開発されることでしょう。元々はＳＯＨＯ（小さなオフィスや自宅でビジネスを行う事業者）向けにつくられていたデジタル複合機のニーズも拡大します。

「本当に必要な場所」とされる不動産だけが生き残り、都心であっても空きビルが多くなる可能性は十分あります。なかでも、「単なる場所」を提供すればいいという古い考えを持つビルのオーナーにとっては厳しい時代の幕開けになるかもしれません。

社会全体を考えた場合、借り手・買い手が見つからなかったオフィスビルは再開発の対象にし、緑がたくさんある公園につくり替える。そして、都会に緑を増やすことで温暖化対策をしていくという発想もあり得ると思います。

教育

専門分野は民間企業にアウトソーシング

新型コロナウイルスの感染拡大を受け、安倍《あべ》晋三《しんぞう》首相は２０２０年2月29日に緊急の記者会見を実施。さらなる感染拡大の防止のため、全国すべての小中高、特別支援学校を対象に休校要請を出しました。幼稚園や大学もそれに追随した格好です。

そこでフィーチャーされたのが、オンライン授業でした。いまやＩＴ後進国となってしまった日本では、オンライン授業の準備がほとんどできていなかったのです。これは、対面式の授業を重視し過ぎた弊害と見ることができます。

いま日本は、コロナショックが外圧となり、急速に教育現場でのオンライン化が求められています。

これからの教育について、①学校という施設に求められるもの、②オンライン授業のあり方、③オンライン授業で実施すべき教育コンテンツ、④リアルな授業が果たすべき役割、という4つの視点で見ていきます。

①学校という施設に求められるもの

新型コロナウイルスの感染拡大により、行政府は子どもたちとその家族の安全を第一優先とし、休校措置を取りました。

その時点で、10歳に満たない子どもや、10代の子どもが感染した場合の重篤化率が非常に低いことはあきらかでした。しかしそれでもなお休校措置を取ったのは、無症状の感染者（大人でも子どもでも）がいる以上、学校内での無症状病原体保有者による集団感染が起こることが懸念されたからです。もちろん、子どもたち自身の命を守ることも大切ですが、活発な子どもが動き回ることでシニア層への感染拡大も危険視されました。

ここでの問題は、地域コミュニティの安全を考えた対応として取られた休校措置は、「家族という機能」に目を向けたものではなかったことです。**共働き世帯、ひとり親世帯にとって学校は教育の場であると同時に、子どもを預けて仕事に行くことができる福祉的な施設の要素もあった**のです。

コロナ禍において、ただでさえ仕事がなくなるかもしれない、給与が減るかもしれないという不安を抱えた親たちにとって、子どもの居場所が家しかないということは重くのしかかりました。

働けなければお金を得ることができませんから、それは切実な問題です。

新型コロナウイルスがどこかの時点で収束したとしても、第2波、第3波がやってくる可能性は十分にあります。その都度、休校措置を取る事態になる学校には、このような対応が求められます。

・学校がある時間帯に保護者が会社に勤務しており、その時間帯は保護者不在になる家庭の把握
・学校休校時に子どもを受け入れることが可能な臨時施設の把握
・円滑な対応を可能にするための、スマートフォンやパソコンを使った情報共有プラットフォームの整備

コロナ禍においても、円滑な学校運営を継続するために必要な各家庭環境の実態把握と、地域ネットワーク構築が求められるのです。

②オンライン授業のあり方

授業には大きく分けてふたつのタイプがあります。

ひとつは、**教員が内容を説明し、生徒（閲覧者）に届けるブロードキャストタイプ**。そしてもうひとつは、**授業参加者がディスカッションするインタラクティブタイプ**です。

前半をブロードキャストタイプで提供し、後半をインタラクティブタイプとするハイブリッドタイプもあるでしょう。

これまで日本の義務教育におけるリアルの教室では、先生が教壇に立ち、黒板を活用して生徒に授業を届けるブロードキャストタイプがほとんどでした。

リアルの教室での授業の形式を分類すると、次の4つになります。

- 先生が教壇に立ち生徒に対して説明する
- 先生が黒板に文字を書きながら説明する
- 先生が生徒に教科書を朗読させる
- 先生が生徒をあてて質問に回答させる

この4つを、そのままオンラインでやろうとするのは困難です。なぜなら、この4つのシーンを実現するには、オンライン授業のなかで、先生へのフォーカス画面、黒板へのフォーカス画面、教科書へのフォーカス画面、回答している生徒へのフォーカス画面、さらには、教室全体を見渡せる画面と、複数の画面が必要になるからです。

また、年齢による問題も大きいかもしれません。これは意外と盲点なのですが、中学生（もしくは小学校高学年）以上であれば生徒の集中力が増し、座ったまま1時間のオンライン授業を聞き続けることはできます。しかし、**小学校低学年から中学年くらいの子どもたちが、目の前に先生がいない自宅の部屋で何時間も行儀よく授業を受け続けることは不可能**でしょう。

次に、インタラクティブタイプの授業ですが、こちらは最初からオンライン授業に不向きです。なぜなら、オンラインでは同時に聞き取れる音声はひとつが限界だからです。4人から6人程度の参加者までならば、オンラインでディスカッションをすることはできるかもしれません。しかし、10人から数十人となると、複数の人が話しはじめた途端、誰がなにをいっているのかわからなくなります。

オンラインでは、参加者全体の挙動が感知できないうえ、誰かが話しはじめようとする雰囲気を察することも困難。仮に挙手をしても、その動作がモニター上に映し出されているかもわかりません。話がいつ終わるかを見極めることも容易ではないでしょう。そもそもの問題ですが、いま現在わたしたちが使用できるオンラインミーティングのツールは、多人数でのディスカッションをするためにつくられてはいないことも忘れてはなりません。

現在のオンラインミーティングのツールを使って、ディスカッションを第一に考えた授業をする場合、クラス分けから考え直す必要に迫られます。たとえば、5人ずつ6グループに分けて授業を実施するなどの対策が必要になるでしょう。

ではここからは、授業を完全にオンライン化するための手段を考えます。次の4つに分けた対応が求められます。

・コンテンツ
・ハードウェア
・ネットワーク
・プラットフォーム

ここまでは、授業コンテンツをオンライン化するにはどういう注意点があるかということとを説明したので、コンテンツの説明は省きます。

ハードウェアは、生徒全員がオンライン授業を受けることができるデバイスを保有しているかどうかという点。ネットワークは、家でのブロードバンド環境がオンライン授業に適したものとなっているかどうかという点。プラットフォームは、適切なオンラインミーティングのツールをインストールしているか、その使い方を知っているか、使っているデバイス（ノートパソコンなど）に自分を映し出すウェブカメラが内蔵、または、設置されているかどうかという点です。

義務教育の場合、すべての生徒に対しもれなく同じ環境が整っている必要があります。私立の高校や大学ならば、入学条件としてこれらの用意を課すことも可能ですが、義務教育の小中学校向けにはそうはいきません。

対面式の授業ができない場合の準備として、**生徒一人ひとりにノートパソコンやタブレット端末を配布し、授業をオンライン化しクオリティを上げていくことに反対する親はいない**と思います。今回のコロナ禍での経験を踏まえ、オンライン化を整備するきっかけにしてほしいものです。

③オンライン授業で実施すべき教育コンテンツ

ここで提案する内容を実現するには、行政府や地方自治体、教員、生徒、保護者すべての能動的な協力が不可欠です。

・〝スーパー先生〟による「伝える」オンライン授業

まず、国語、算数（数学）、理科、社会など各科目の内容を教える授業について、日本全国で〝スーパー先生〟を選抜し、良質なコンテンツの提供に注力します。その授業に関しては、生徒はあくまで「説明」を聞くだけで、黒板の文字をノートに書き取ることはしません。

もちろん、途中で先生が生徒にあてることもしない。教科ごとに一定数の人数のスペシャリストを用意し、その授業（説明）を全国の同学年の生徒たちが受けられるようにするのです。

これは、当然、自宅で受けることができるものです。

残念ながら、先生にも能力差があります。算数を素晴らしく上手に教えることができる先生でも、社会は苦手という場合があるのは当然のこと。そういう問題点も解消できると同時に、生徒たちも高いレベルの授業を平等に受けることができます。

・宿題や課題もオンラインで対応

〝スーパー先生〟による授業を聞いた生徒たちは、その後、宿題や課題に取り組みます。すると、問題を解くなかで質問が出てきます。その質問に関してのチャット教室を用意し、チャットによる会話のなかで解決していきます。

生徒からの質問に対して、ほかの生徒がそれに答えてももちろんいいと思います。基本的には、生徒からの質問が溜まったら先生がまとめて答えを返していきます。その流れは、先生側の業務効率の向上にもつながります。

いち早く宿題が終わった生徒には、追加の問題をチャットにアップロードして提供します。逆に、宿題が難航している生徒に対しては、おすすめの〝スーパー先生〟のオンライン授業のリンクを共有するのもいいヒントになるでしょう。

授業の内容を聞くことはオンラインの動画で行い、問題演習はチャットというテキストオンラインで対応する。このサイクルを繰り返していくことで、授業全体の質の底上げと、生徒の学力の向上を目指します。

なお、2010年からわたしが教鞭を執《と》るビジネス・ブレークスルー大学では、「エアキャンパス」という、この提言に似た仕組みで授業を行っています。

・ディスカッションは、少数選抜授業で対応

5Gが全世帯に普及する頃には、映像が途切れなくなるだけでなく、オンラインミーティングの音質も向上し臨場感ある音声通話が可能になるかもしれません。しかし、現状のオンラインミーティングで一度に聞き分けられる声はひとつです。よって、オンライン授業でディスカッションをするためには、一人ひとりが順番に発言していく必要が出てきます。

現行のサービスでオンライン授業を行う場合、わたしの経験では発言者は最大で6人程度までに絞ったほうがよさそうです。

それから、ディスカッションに主軸を置く場合には、次のような下準備をおすすめします。

参加者はまず、事前に読むべき教材があるなら、それをオンライン授業の時間までに必ず読み込みます。なぜなら、情報がある程度入った状態でないと、ディスカッションが成立しないからです。教材・資料を見ながらではテンポのいいディスカッションはできません。

続いて、ディスカッションの発言者は、自薦他薦で6人程度までに限定。生徒がディスカッションしている際は、先生はオンライン授業のファシリテーターに徹します。ディスカッションするべき項目を4個から5個列挙し、それについてディスカッションすることを周知。そして、発言者ではない生徒は、その授業の聞き役に徹します。

このような場づくりを頻繁《ひんぱん》にすることで、オンライン授業でも良質なディスカッションが可能となり、生徒の学力向上を目的とした新しいかたちの授業運営ができます。

④リアルな授業が果たすべき役割

親が子を預ける、いわば福祉的な要素も持つ学校という施設は、これまでと変わらず地域社会にとって重要なものとなります。**急速に授業のオンライン化が進んだとしても、とくに小中学校におけるリアルな授業はその役割を持ち続ける**でしょう。

では、学校で必要とされるリアルな授業とはどのようなものでしょうか？　その各論に至る前に、学校が果たす役割についての私見を述べます。

わたしが思う学校の役割とは、未来の日本を背負って立つ若者を数多く輩出することだと思います。国際社会のどこにいても高い競争力を持ち、イノベーティブなアイデアを発案する。そうしたビジネスを創り出す人材を育てていかなければ、グローバル化が進む時代に世界を相手にできません。

現在の日本の大人たちにとって、学力の部分で欠けているものはなんでしょうか？　大きなところでは、英語力、コンピュータのプログラミングスキル、ファイナンススキルでしょうか。もっと深掘りすると、ロジカルシンキングと分析力、構想力なども挙げられます。

とくに、英語力、コンピュータのプログラミングスキル、ファイナンススキルに関しては、必要性が極めて高いにもかかわらず、高校卒業時点で致命的なほどまでにできていません。それが日本の「リアルな教室」での、授業の〝結果〟です。英語力不足に至っては、あまりに長いあいだ言われ続けていることです。

そこでわたしは、こんな大胆な提案をしたいと思います。

前述した、**英語、プログラミング、ファイナンスなど、これからの大事な未来に直結している専門分野の大部分を、民間企業の手を借りて行う**のです。これはいわば、学校から民間企業へのアウトソーシングです。

英語もプログラミングもファイナンスについても、良質なオンラインコンテンツは多数存在します。現在の大人たちの多くが学んでいるコンテンツもあります。いまを生きるために必要なスキルだから——これからの5年、10年先のビジネスにとって重要だから——

それを提供する事業者がいて、コンテンツがそこにあり、実際に学ぶ人がいる。ニーズが多いものは、その業界の競争が激しいことはいうまでもありません。よって、内容は良質なものにブラッシュアップされ続けています。

その良質なコンテンツを、使わない手はないではありませんか？

すべてを否定するつもりはありませんが、グローバル視点で見た場合、日本の義務教育により遅れを取ってきた事実は間違いなくあります。

実際に人と話すことができない英語教育でいいのでしょうか？

ＩＴ後進国となった日本のプログラミング教育で、ＩＴ先進国に追いつくことはできるのでしょうか？

ファイナンススキルなどについては、これはもう論外ではないでしょうか？

「これから整備していけばいい」

そんな意見もあるかもしれませんが、これからしっかり学ぶべきいまの子どもたちはどうなるのでしょう？　子どもたちは、ほんの数年で学校を卒業してしまうのです。それはあまりに不幸ではありませんか？

その代わりに、義務教育では**情操教育に力を注ぐ**のです。

専門的なスキル習得については、民間の力も借りレベルアップを図りながら、子どもたちがたくさんディスカッションできる時間をつくり、切磋琢磨する。そこで、思いやり、優しさ、厳しさ、嫉妬、妬み、恋を学んでほしい。その過程で子どもたちは、心の成長を遂げながら、ときには思い悩むでしょう。そこに手を差し伸べることこそ、リアルな教育現場における大人たちの役割ではないかと、わたしは考えるのです。

最後にひとつ興味深い事例を紹介します。

フランスの「42」という学校です。この学校には、なんと先生がいません。そして、学年という概念すらありません。非営利型プログラミングスクールで、フランス人のビリオネアであるグザビエ・ニール氏によって２０１３年にパリで設立されました。

教室には最新のノートパソコンが並び、高速インターネット回線が用意され、学習に必要なあらゆるソフトウェアはすべてプリインストールされています。子どもたちは教室に来ると黙々とプログラミングをはじめ、隣にいる先輩や後輩、またはスクールにいるエンジニアなどとの交流を通じて学んでいくスタイルだそうです。ここに入学するには、１カ月におよぶテストをクリアしなければなりませんが、授業料は無料です。

２０１６年にはアメリカ・フリーモントで開校し、現在16カ国で展開しています。東京は２０２０年４月に開校予定でしたが、新型コロナウイルスの影響もあり、２０２０年６月の開校となりました（日本の「42」は18歳以上が対象）。

世界で戦えるプログラマーを育てるために必要なのは、プログラミングを教える先生でも、プログラミングを習うための教科書でもありません。パソコンを自由に使える最高の〝遊び場〟があることなのです。アクティブなプログラマーが多数いる空間とコミュニティがあれば、その場に足を踏み入れた子どもたちは、自然とプログラミングスキルを磨いていくのです。

プログラミングの世界は日々変化し、進化しています。でも、そのための資源を用意するには限界もあります。高度なスキルを持った先生を用意することも、良質な教科書を用意することも簡単ではないのです。その対策としていま注目されているのが、先生のいないプログラミングスクール「42」なのです。

この学校には、今後の日本の教育を設計するうえでの大きなヒントがあると思います。

医療

設備レベルを底上げし〝崩壊〟リスクを低減

今回、新型コロナウイルスの感染拡大が起きたことで推奨された「ソーシャルディスタンス（社会的距離）」をきっかけに、遠隔診療や遠隔医療の規制緩和がどんどん進むことが予測されます。薬局についても服薬指導のオンライン化が進むでしょう。

これら、医療分野のオンライン化で利便性が増すことは、医療従事者の業務効率を高めますし、国民にとっても安心材料のひとつになると思います。

新型コロナウイルスの患者が増えていくなか、病院での集団感染のニュースが相次いだことは大きな問題として連日のように報道されました。

医療従事者を中心として集団感染が確認された医療機関は102施設にのぼり（2020年6月11日現在、厚生労働省発表）、大きな規模では、東京都台東区にある永寿総合病院で感染者が214人、死者も43人となりました（2020年6月7日読売新聞報道）。

原因は、入院病棟はあっても感染者用につくられたものではなかったこと、医療従事者の靴からの感染拡大、給湯室や休憩室での感染拡大などがあったとされます。病院内の陰圧処理も、感染症病棟ではないエリアでは不十分になってしまうのは仕方がないことかもしれません。

小学校や地域の公園は、地震、津波、洪水といった災害の際、緊急避難場所として指定されています。人命救助のための措置であり、救助する側としても一箇所に避難しているほうが対応しやすいためです。

医療においても同様で、今後の対策として、**緊急時の医療ネットワーク、医療施設キャパシティの拡充に向けた整備が欠かせませんし、これは間違いなく進んでいく**はずです。具体的には、**感染症指定医療機関内における通常病棟を感染症病棟に臨時で変更するための設備拡充、通常の病院を感染症指定医療機関化できる対応、ホテルなどの施設をスピーディーに臨時病室化できる枠組みの構築**などです。今回のコロナ禍においては、多くのホテルが協力体制を敷きましたが、**どのホテルが臨時病室として対応するのかをあらかじめ決めておくべき**です。

今回の経験を機に、それらを徹底的にデータベース化し、情報共有プラットフォームの整備に動くことになるでしょう。有事には、スピードが求められる。そのためにはなによりも準備が必要です。

病院をハード面とし、ここでは、現場という最前線で戦う医療従事者や関係者をソフト面としましょう。彼ら彼女らへの訓練というかたちでのサポートも重要です。有事に備え、一定規模以上の商業ビルや施設の場合、定期的に避難訓練、火災訓練などが実施されます。そのような取り組みを、病院でも取り入れるべきです。これからは、感染症対応訓練を実施することがレギュレーションとして取り入れられるのではないでしょうか。

病院においては、一般病棟の医療従事者が感染症病棟の医療従事者として働く際の行動注意点を留意した訓練、一般病床を感染症病床に一時的にアップデートする訓練。有事に病室化することが指定されたホテルにおいては、ホテルスタッフに対しての有事における行動訓練などが考えられます。

こうした**ハード面とソフト面の整備が進むことで、日本の医療機関全体としての感染症に対する対応力が底上げ**されます。

2020年4月7日に緊急事態宣言が発令される前に、「パンデミックは都市で起こるのではなくまず医療現場からはじまる」という話題が出ていました。その理由としては、新型コロナウイルス以外の病気の重症患者と、新型コロナウイルスの重症患者が合わさることで、ICU（集中治療室）が足りなくなるからです。

イタリアやスペインで10％を超える死亡率（2020年6月28日時点）となってしまっているのは、対応できるICUが不足したからにほかなりません。過去にも、入院病棟が満室なので別の病院を紹介されるという話は聞いたことがあったものの、ICUが足りなくなるという話はほとんど聞いたことがありませんでしたから、医療現場は相当に混乱していたと推測できます。

次のページの図の横軸は人口10万人あたりにおける病床数、縦軸は人口10万人あたりにおけるICU数となります。日本は一般の入院ベッド数は他国に比べて充実している傾向にあります。人口10万人あたり700床を超え、これはアメリカの3倍以上です。

一方、ICU数は、イギリスと並んで最低レベル。もっとも充実しているドイツは日本の6倍、人口10万人あたりで約25床のICUが完備されています。ICUが充実していれば、仮に感染者が増えていったとしても対応できる余力があるということです（もちろんそこに十分な医師や看護師がいる前提で）。

人口10万人あたりで約4床のICUを持つ日本は、全国で約5000程度ICUがあると推計できます。新型コロナウイルスに感染した人のなかで重症化する人は約14％であり、重篤化する人は約6％（2020年6月現在、厚生労働省発表）です。

重症・重篤化する2割の感染者がICUを必要とすると考えれば、**同時期の感染者数が**

２万５０００人まで日本のＩＣＵは対応できると考えることができます。逆にいえば、**それ以上の感染者が同時に発生した場合、医療崩壊が起きるリスクが高まる**というわけです。

２０２０年２月上旬、横浜に停泊したダイヤモンド・プリンセス号において集団感染が起きました。当時、多数の感染者がいるのは中国以外ではダイヤモンド・プリンセス号内くらいしかなかったため、世界は「日本は感染の中心地だ」という見方をしていました。そこから３カ月が経過し、５月６日現在の日本国内における感染者数は１万５０００人ほどです。５月４日に緊急事態宣言の延長を伝えた安倍首相の記者会見では、ゲノム分析により日本は中国経由の第１波は乗り越え、欧米経由の第２波はピークを越えようとしているという見解が発表されました。

欧米8カ国と日本における10万人あたりのICU数と病床数

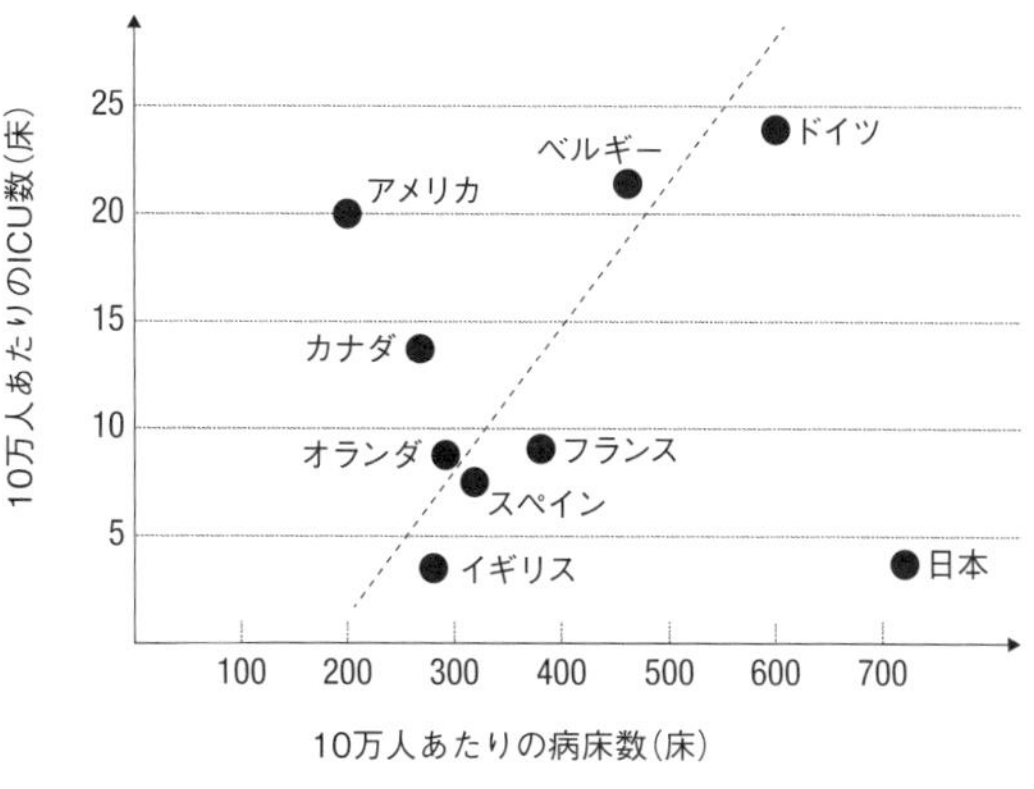

※埼玉医科大学病院、菊地博達「わが国の集中治療室は適正利用されているのか」をもとに著者作成

そして、3月半ばよりはじまった欧米におけるパンデミックでは、日本より充実したICU設備を誇る国々で死亡者が多くなるという事態が起こりました。次の図は、横軸が人口10万人あたりの感染者数で、縦軸は感染者に占める死亡率です。

ICUの「充実度」から見たら、最低水準にある日本ですが、外出自粛要請、在宅勤務の推奨、休業要請などの取り組みが功を奏し、感染者数と死亡率という両方の面で、世界のなかでは極めて良好な水準を維持しました。

しかし、**ICUの充実度はイギリスと同水準であることから、感染が拡大してしまうと一気に死亡率が高まってしまうリスクを孕《はら》んでいる**ともいえます。欧州諸国の多くで医療現場が危機的状況になり死亡率も高まっているなか、**死亡率を抑えられているドイツは、医療レベルの高さ、ICUの**

欧米8カ国と日本における感染者数（10万人あたり）と死亡率

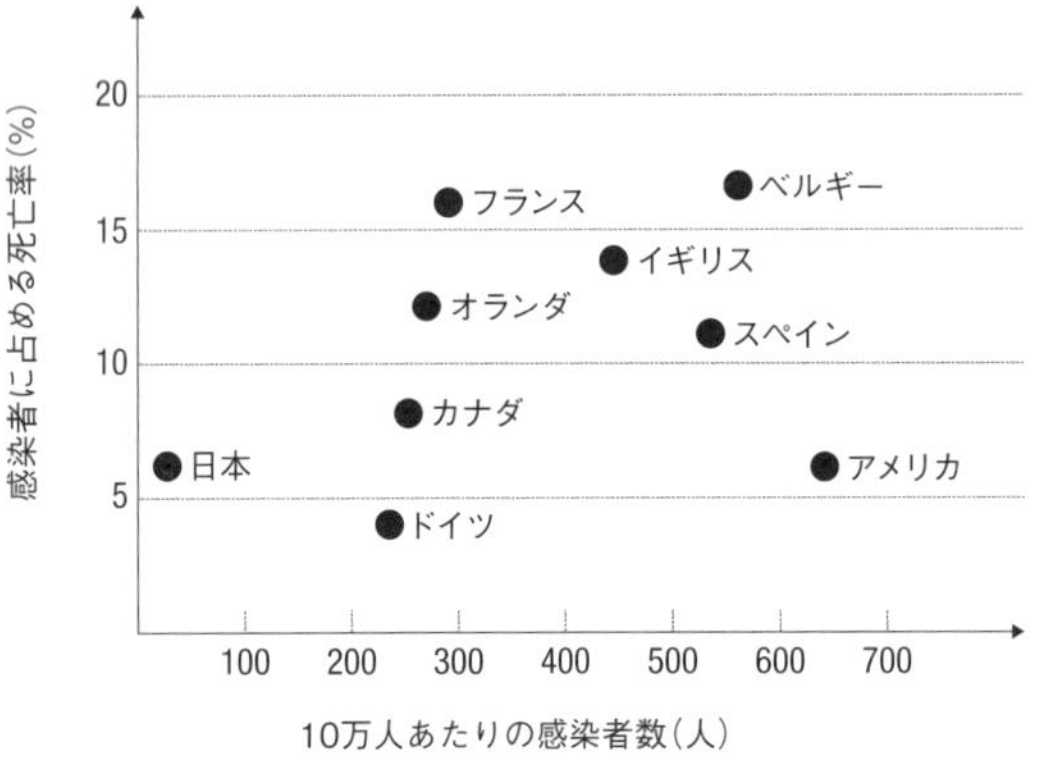

※ジョンズ・ホプキンズ大学発表の統計データより著者作成（2020年6月15日時点）

充実度が高かったことが大きな要因と見ることができます。

今回のコロナショックを契機として、**国内における各医療施設がどのくらい設備レベルを充足させるべきか、その設備ポートフォリオを見直すことも必要になるでしょう。**

欧米8カ国と日本における新型コロナウイルスの感染状況

	人口	感染者数	10万人あたりの感染者数	死亡者数	感染者に占める死亡率
アメリカ	3億2,720万人	211万3,366人	646人	11万6,135人	5.5%
イギリス	6,670万人	29万8,315人	447人	4万1,821人	14.0%
スペイン	4,700万人	24万4,109人	519人	2万7,136人	11.1%
フランス	6,700万人	19万4,305人	290人	2万9,439人	15.2%
ドイツ	8,280万人	18万7,682人	227人	8,807人	4.7%
カナダ	3,759万人	10万763人	268人	8,228人	8.2%
ベルギー	1,146万人	6万100人	524人	9,661人	16.1%
オランダ	1,718万人	4万9,155人	286人	6,084人	12.4%
日本	1億2,680万人	1万7,439人	14人	929人	5.3%

※ジョンズ・ホプキンズ大学発表の統計データより著者作成（2020年6月15日時点）

第3章

お金2.0

マイナスインパクトが続く経済で「お金」の価値はどうなる？

２０２０年初頭からはじまった、新型コロナウイルスの世界的な蔓延《まんえん》――。

本書を執筆している２０２０年６月の段階では、世界中の経済に与えるインパクトの全容までは見えていませんが、１９２９年の世界恐慌をしのぐ危機になるのではないかという見方が濃厚です。いや、実際にそうなるのでしょう。「これから時間をかけて、様々な部分において危機が訪れるのだ」と覚悟を決めるべきだとわたしは思います。

事実、**ここ5年ほど上昇基調だったダウ平均株価も、２０２０年1月の2万9０００ドルから一気に落ち込み、一時は2万ドルを割るまでに激しく下落**しました。さらにショッキングな出来事として、**ニューヨーク原油先物価格がマイナスとなった**こともありました。２０２０年3月上旬までは50ドル前後で推移していたその指標は、同年4月にはなんと、マイナス40ドルまで急落。原油先物価格がマイナスとなったのは、史上初の出来事です。

ただでさえ、長年低迷している日本のGDP（国内総生産）は、今回のコロナショックでどこまで落ち込むのだろうかと懸念されます。**中国でさえ、2020年1月から3月のGDPは前年度比マイナス6・8％**となりました。これは、1992年の統計公表以降において初めてのマイナスです。欧米諸国も、軒並みマイナス成長へと落ち込みました。

身近なところでいうと、給与や毎月の貯金額が減少した人もたくさんいるはずです。飲食店は、営業の自粛が続いたうえに、これからは客の財布の紐が堅くなることは疑いようがなく、大苦戦を強いられるでしょう。空港やホテルはがらんどうです。映画館、ライブハウス、カラオケ、スポーツジム……といったところは、営業停止の期間があまりに長く大打撃を受け続けています。

それらの業界で働く人に限らず、おそらく国民の大半が「家計を切り詰めていく必要がある」と思っています。

では、具体的になにを削っているのでしょうか？　なにを削れるのでしょうか？　日々の生活を送るなかで、みなさんはどのような工夫をはじめましたか？

大きな危機をあまり体験していないわたしたちがいざ実行するとなると、どこから手をつけるべきかむずかしいものです。

企業や店舗の倒産が相次いでいるというニュース。株価が下がったというニュース。失業率が世界的に上がったというニュース。期待されていた薬やワクチンの効果があまりなかったというニュース……。そうした情報に振り回される日々でしょう。

どんどん不安が増していきます。


自分の会社は大丈夫なのだろうか？ 仕事はなんとなく回りはじめたけれど、新規の顧客をつかまえることはできるのだろうか？ 勤めている企業はこれから成長していけるのだろうか？ 家賃や住宅ローンを払い続けていくことはできるのだろうか？ 子どもの教育費は捻出できるのだろうか？ 自分たちの老後の資金は確保できるのだろうか？

ますます不安になります。


あらゆる指標から見ても大きなマイナスのインパクトをもたらした新型コロナウイルスですが、これから先、わたしたちの生活に密接に関係する「お金」の価値にはどんな影響をもたらすのでしょうか。

この第3章「お金2・0」では、わたしたちの身近なところからはじまり、グローバル経済、さらにはコロナ以降に現れる新しい経済圏や信頼経済までを考えていきます。

家計

慎重な性質を持つ日本人は現預金の金額を増やす

「日本どこでもこのマークのお店ならキャッシュレスで最大５％還元」というキャンペーンを見たことがあると思います。あの、赤いマークがついたものです。

このキャンペーンは、２０１９年10月に実施された、消費税10％への増税に伴いはじまったもの。キャッシュレス化を推進したい企業の思惑と、増税への負担軽減の空気を生み出したい政権の思惑が一致したものでした。

キャッシュレス決済には、スイカ（Suica）などの非接触式ＩＣカードだけでなく、クレジットカード決済や、ＱＲコード決済などいろいろなジャンルがあります。日本のキャッシュレス決済比率は約18％で、諸外国に比べて低い傾向があります。もっとも高いのは韓国で約89％、次いで、中国が60％、アメリカでは45％となっています。政府は、２０２７年までにキャッシュレス決済比率を４割まで引き上げる目標を掲げていました（経済産業省「キャッシュレス・ビジョン」２０１８年４月レポートより）。

わたし自身は、利便性が高いことから非接触式ＩＣカードやＱＲコード決済をよく使いますが、政府として４割まで引き上げたい理由はどこにあるのでしょう？

それは、「税収」のためにほかなりません。現金による不透明な決済の規模をできるだけ縮小し、捕捉可能なデータ処理にしたいことが最大の理由です。

日本はいまだ「現金信仰」が強く、最大５％の還元でも浸透は限定的でしたが、コロナショックがキャッシュレス化を後押ししました。多くのユーザーが使いはじめた理由は、**利便性の観点でキャッシュレスにしたいからではなく、「タッチレス」にしたいから**でした。

新型コロナウイルスというのは、プラスチックや金属などの表面上で何日も存在し得るとされます。そんなニュースが飛び交ったことが、キャッシュレス化を後押ししたのです。もとより、小銭を数えたりお釣りを手渡ししたり、お店側も消費者側もそれをどこかで「面倒」だと感じていたわけですから、今回のコロナショックを機に、急速なまでにキャッシュレス化が浸透していくと見ていいでしょう。

キャッシュレスの活用による恩恵は、ほかにもあります。各サービスはそれぞれ独自のポイント還元を提供していますが、ここでは、コンビニを例に見てみます。

これまで現金でお昼に弁当を買っていた人は、そのお弁当代だけでも月々のコンビニでの消費額は1万円から2万円にのぼっていたかもしれません。それをすべてQRコード決済に切り替えれば、1カ月で500円から1000円の還元がある。これはバカにできない金額です。1日分の費用が浮くことになりますよね。こうした小さな積み重ねも節約術として重要になりますし、それを実現できるのも、キャッシュレスの活用による恩恵です。

しかしながら、いくらポイント還元があったとしても、これだけの先行き不透明な経済状況です。それを思うと、わたしたちの財布の紐は堅くなってしまいます。そんななかで、多くの人はどの支出を引き締めるのでしょうか？　一方、コロナ禍において、生活を快適にするために支出が増えるものはあるのでしょうか？

まず、一番初めに減る支出があります。引き締めるというよりも、「使えない」といったほうが適切でしょうか。それは、「旅行費」です。とくに海外旅行のために貯めていたお金は使い道がなくなります。よって、国内旅行へ切り替える人が続出します。ただし、堅実な人は国内旅行さえも控えるかもしれません。

2019年における1年間の出国日本人数は、約2000万人でした。この数字にはビジネスでの出張も含まれていますが、2020年は3月から年末までほとんどの海外旅行がキャンセルになってもおかしくありません。そのキャンセルの規模は、1000万人から1500万人になると見込まれます。ひとりあたりの予算が仮に10万円だとしても、1兆円から1・5兆円の支出が控えられることになります。

2019年における、国内旅行の市場規模は約22兆円（観光庁「旅行・観光消費動向調査 2019年年間値（確報）」調べ）。国内旅行者数はのべ6億人であり、単純計算した場合、ひとりあたり1回の国内旅行支出額は約3万7千円です。

コロナの影響でゴールデンウィークにどこにも行けなかったことを考慮すれば、**2020年は秋から年末にかけて贅沢な国内旅行を楽しむ人が増えそう**な気がします。政府が推進する、旅費の一部をクーポン券などのかたちで補助する取り組みは、案外、時流を得ているのです。

外食に出かける回数が減ることも考えられます。当然、「密」を避けるためという理由もありますが、デリバリーの便利さを多くの人が体感したことは大きかった。もちろん、これまで実施していなかった店舗もデリバリーを開始したことから、多くの人がデリバリーの利用にシフトしていくと考えられ、同時に外食は減るでしょう。デリバリーは配送料が上乗せされるので格安とはいきませんが、移動時間が節約できるので時間コスト的なメリットは確実にあります。

コロナショックを機に、新しく生まれる消費もあります。**キーワードは「オンラインコンテンツ」**です。すっかり定着したストリーミングの映画作品やドラマ作品の視聴サービスだけでなく、オンラインの塾や習い事、さらには、オンラインでフィットネストレーニングをするようなサービスも一気に出てきました。仕事のミーティングもそうですが、実は、在宅でも満足できるものがたくさんあることにわたしたちは気づいてしまったのです。

そして、これは少し問題ですが、気づかぬあいだに増えてしまっているものもあるようです。それは、スーパーやコンビニで買うお酒。**友人との飲み会や仕事での会食が減った分、家での酒量は増えている**と推測されます。一度、1カ月でどれだけのお酒を家で消費しているか、家計簿につけてチェックしてみるのもありでしょう。

次に考えたいのは、コロナの前後で、モノの値段に変化は起きるのかということです。

外出自粛が響き閑古鳥が鳴いている旅行業界はどうでしょうか？「集客のために値下がっているのではないか」と思うかもしれませんが、残念ながら旅費は値上がる可能性が高いのです。
とくに国際線の航空券は、ほとんどが正規料金に近い値段設定になるはず。なぜなら、ライバル企業同士での集客の競争が発生せず、席が空いているためです。もちろん、飛行機を飛ばせば燃料費はこれまでと同じだけかかります。国内線にしても、受け入れ側はもちろん満席を目指したいところですが、密を避けるため適度な稼働率の上限を設ける動きが出てきます。それらにより、前年の数値にできるだけ売上を近づけるためにも、単価を上げるのは必至です。**アフターコロナの世界では、旅費は総じて値上がっていく**のではないでしょうか。

一方値下がるものは、嗜好品や家電など数年に一度しか買わないものです。値段が下がるというよりは、消費者が低価格帯のモノを選ぶ傾向が強くなるでしょう。車やテレビもワンランク下のものを選ぶ人が増えるはず。各メーカーも対応策を考えますが、プレミア商品のラインナップは少なくなり、低価格ラインナップを拡充させると考えられます。

それとは逆に、これまでとくにプライシングのラインナップがなかったモノの値段の幅が広がり、プレミア価格帯の製品が登場することもありそうです。まさしくそれは、マスクであり、消毒液も該当します。マスクはすでにアパレルメーカーなどの参入が目立ちますが、デザインや性能を追い求めた高価な商品展開が見込まれます。

また、部屋の消臭スプレーの商品は以前からありましたが、香りがとてもいい、部屋を消毒するスプレーなどもきっと登場することでしょう。

そういったものに価値を見出し、お金を消費する人が増えていくように思います。これは、新型コロナウイルスと共存していくなかでの、せめてもの楽しみのようなものなのかもしれません。

最後に、わたしたちの身近なお金のことに関して、預貯金や株など金融資産はどのように変わるのかを見ていきます。

元来、**日本人は現金主義で、家計の金融資産のおよそ半分は現預金だとされている**ほどです。日本全体の家計の金融資産残高は約1800兆円。そのうちの半分が現預金なのです。ちなみに、**アメリカの現預金比率はわずかに13%、欧州諸国の平均では34%**です（日本銀行調査統計局「資金循環の日米欧比較」2019年8月29日）。日本のそれは、ほかの国と比べてもかなり大きな割合だということがおわかりになると思います。

では、アメリカや欧州諸国の人たちが、預貯金以外にどういう資産を持っているのかということですが、家計の金融資産に占める株式等の割合は、アメリカで34%、欧州諸国の平均で19%となります。日本の株式等の割合は、たったの10%しかありません（日本銀行

調査統計局「資金循環の日米欧比較」２０１９年８月29日)。

ウィズコロナ、アフターコロナの世界において、それらの部分に関してはどのような変化が見込まれるでしょうか。リーマンショックのときを参考に、変化を予測します。

リーマンショックの直前は、現預金比率は48％程度まで落ちていました。そこから、１年から1年半ほどかけて現預金比率は53％まで上昇(大和総研「２０１７年の家計金融資産動向の回顧」より集計)。約5ポイント現預金が増えた計算です。金額規模でいえば、約90兆円の増加です。

これから先も、マクロ的に見ると同様の動きが出てくるでしょう。慎重な性質を持つ日本人は、現預金の額を増やす動きをしはじめると思われます。

ただ、株式市場についていえば、今回のコロナショックは外食産業など大きな打撃を受けた産業がある一方で、オンライン化に関わるサービスは追い風を受けています。人知れず、これから訪れるであろう成長産業に対して、投資をはじめている人は少なくないと思います。

金融資産

「製薬」「物流」「在宅時間」にフォローの風が吹く

ニューヨークの原油の先物価格がマイナスに落ち込んだ状況はイレギュラーだとしても、アフターコロナの新世界を見据えた場合、金融資産ポートフォリオをどう組み直す必要があるか考えるべきです。

まず、ファクトを押さえておきたいと思います。ひとつめは、株式相場。ダウ平均株価は２０２０年２月上旬には２万９０００ドルをつけていたのが、３月23日に１万８５９１ドルまで下落しました。そのあと反転し、２０２０年５月現在は２万３０００ドルから２万４０００ドルまで回復しています。

日経平均もダウ平均とほぼ同じ動きをしていて、２０２０年５月時点では２万円前後を推移している状況です。

暗号資産であるビットコインも同様の動きです。２０２０年２月半ばには１１０万円付近だったものが急落し、３月13日に50万円で底値をついた。そこから、２０２０年５月には再び1000万円まで回復しました。

コロナショックは全世界を同時に襲いました。そのため、金融資産の価格変動も全世界で相似形となりました。

この本が刊行されるであろう2020年8月の時点でも、程度の差こそあれ、コロナ危機は世界全体に蔓延していると思われます。この数カ月のマクロ変動が世界中で相似形を示しているということは、これから1年程度のマクロ指標もまた、世界中で相似形を示すことになるのではないでしょうか。

マクロ的に見て、あきらかにアゲインスト(評価損)の業界が存在します。それは「移動」に関連する株の銘柄です。

航空、自動車、観光、ホテル、レジャー、タクシー、ライドシェア……。これら移動に関するビジネスを展開している企業は、これから数年はかなりの苦戦を強いられます。マクロ的に見れば、それらの値動きは世界的なものになるはずです。

第2章でも触れましたが、投資家であるウォーレン・バフェット氏が航空関連銘柄をすべて売却したとの報道がありました。それは、最低でもここから3年くらいは関連銘柄の上昇の見込みがないと判断したと見ることができます。

一方、あきらかにフォロー（上昇）傾向の業界も存在します。第一に、製薬・メディカル系の業界です。**薬やワクチンの開発及び大量生産は世界中で求められる極めて重要な課題ですし、これはもう医療系の企業全般がビジネスに集中できる機会を得た**ことになります。

そして、それらを流通させるための物流業、あるいはマスクなど感染症対策備品の製造業。加えて、「在宅時間」に関連する産業は非連続な拡大を示すでしょう。

物流で見ると、ＥＣ（エレクトロニックコマース＝電子商取引）とそれを支える配送、Ｃ２Ｃ（個人間取引）、フードデリバリー、ゲームなどもフォロー傾向です。これらは「在宅時間」が長くなるということが要因です。パンやお菓子をつくる家庭が大幅に増えるという話もあります。そうであるなら、製粉業にもフォローの風が吹くでしょう。

しかし、フォローの業界はほんの一部に過ぎません。エコノミストたちは、声を揃えて「１９２９年以来の世界恐慌がやってくる」と警鐘を鳴らし続けます。事実、２０２０年４月のアメリカの失業率は、世界恐慌以来最悪の14・7％という結果になりました（米労働省雇用統計）。人数でいうと、失業者が２０００万人を超えた計算となります。

これはあくまでも４月時点の数字です。これからどこまで失業者が増えるのか、予測することすら困難です。

1929年の世界恐慌を知識として知っている人は多いと思います。では、この不景気はいつ反転したのでしょうか。マクロ的な動きでは、株価の落ち込みが底をついたのは3年後の1932年で、元の水準に戻ったのは1939年頃とされています。**元に戻るまでに、10年の歳月を必要とした**計算です。

コロナ以降の不景気がどのくらいの長さになるか、正確なことはまだ誰にもわかりません。ただ、歴史に学ぶならば、少なくとも今後3年間の経済停滞を覚悟しておいたほうがいいのかもしれません。

向こう3年間は、企業も家計もコストカットの方向に向かうことになります。嗜好品はもちろんのこと、買い替えサイクルが5年以上の自動車や家電などの贅沢品の需要も大きく落ち込むことが考えられます。

また、これからの数年間のなかで淘汰され、倒産する企業が多く出ることが見込まれます。一方、この危機をチャンスに変え、大きく業績を伸ばす企業も多く出てくるでしょう。あらゆる業界で、新陳代謝が起こります。

なかでも、好影響が出そうな、医療に関連するもの、物流に関連するもの、在宅に関連するものについては、向こう3年のマクロトレンドを見ていくことが肝要ではないでしょうか。

通貨

アメリカの復活には時間を要し、数年は円高圧力が続く

世界の主要通貨は米ドルが基本で、日本円もその一角を占めています。これまで経済危機が起きる度に、円は安全資産として買われてきました。たとえば、２００８年のリーマンショック前後だと、２００７年に1ドル１２０円ほどだったのが、４年後には80円を割り込むところまで円高が進みました。

今回の値動きは、いまのところそれと比べて小さなものです。コロナ以前は１１０円程度で推移していましたが、コロナ以降の２０２０年3月くらいから欧米での感染拡大のニュースが増えていくにつれ、円高が進みました。3月9日に１０３円まで円高が進みますが、そこから反転し、以降は以前と同じ水準の１１０円あたりで推移しています（２０２０年5月時点）。

アメリカは６００兆円を超える経済対策をするほどの未曾有《みぞう》の危機状態で、ユーロ圏の

欧州も全土で感染拡大が深刻な状況にあります。しかし、ニューヨークの原油の先物価格がマイナスになるなどイレギュラーな価格変動があった割には、為替については大きな変化はありませんでした。

リーマンショックにおける為替の影響は、数年かけて円高というかたちで現れました。**「日本経済の停滞」という名の〝安定経済〟を背景に持つ円は、いまも安全資産としての魅力がある**と思います。感染者200万人を超え、最大の被害を受けているアメリカ経済の復活は、これから数年を要することはあきらかです。よって、これから数年は、円高圧力が続くと考えるのが妥当なのではないでしょうか。

一方、〝価値〟という意味で大きく変化したものが現れました。それは、「マスク」です。これまでは日本やベトナムなどのアジアでは風邪の予防などで一般的に利用する人がいましたが、欧米諸国ではほとんど使われることがありませんでした。

しかし、2020年3月頃から欧米で新型コロナウイルスの感染が急拡大をするにつれ、彼ら彼女らも突如使いはじめたのです。その結果、欧米各国でもマスクをする習慣が広まり、世界各国でマスク不足が深刻になりました。

日本では、安倍政権が一世帯につき2枚のマスクを配る政策を実行し、ソフトバンクグループの代表・孫正義《そんまさよし》氏は、月産で3億枚供給すると2020年4月に発表しました。シャープは、4月27日に3万箱のマスクを売り出しましたが、あまりの人気に抽選販売となったのは記憶に新しいところです。

コロナショックの初期段階では、マスクが手に入らないという不安定な状況がありました。お金を出そうとしても、買うことができなかったのです。貨幣の価値というのは、それによってほしいものを買えることで担保されるわけですが、**世界的なマスク不足から一時期、マスクはどの通貨よりも〝強く〟なったのではないかと思うほどでした。**

毎日のように新型コロナウイルスの蔓延状況を発表する小池百合子《こいけゆりこ》東京都知事（2020年6月時点）は、メディアの前に知人のお手製のマスクで登場するようになりました。一般庶民が、ツイッター（Twitter）などのSNS上で、自作のマスク画像の投稿をすることがちょっとしたブームになりました。わたしはその投稿を見て、「これらマスクは、戦時中の防空頭巾と同じ役割なのではないか」と感じたものです。

第二次世界大戦末期、都心でも空襲を受けていた日本は、その対抗策として各家に防空壕を築き、各家庭では防空頭巾を手作りしてそれを頭にかぶることで命を守ろうとしていました。見えざるウイルスという敵を前に、2020年のわたしたちはお手製のマスクで対抗しようとしているわけです。75年もの月日が経っても、わたしたち一般庶民の取る対応は変わらないのだと痛感しました。

そして、日本ではたびたび地震が起きます。東日本大震災のあと、停電や断水が多く起こりました。それを機に、ペットボトルの水を備蓄しはじめた家庭も少なくないと思います。仮に外国人を含む日本の約５８００万世帯がそうした備蓄に動いていたとするならば、ペットボトルや缶詰などは、数億本、数億個単位で必要になります。

いうまでもなく、命を守るためのマスクは飲み物や食べ物と同じくらい大切なもの。半年分ほどの備蓄を考えた場合でも、数百億枚単位の供給が求められます。

そして、**これから通貨のような価値になり得るのが「ワクチン」**です。

新型コロナウイルスによる死亡率が現状の割合（たとえばアメリカだと５％強、欧州諸国だと10％を超える国もある）の場合、ワクチンは今後1年から2年の基軸通貨の役割を果たし得るでしょう。

日本国内であれば、日銀ではなく製薬会社が〝造幣局〟になるのです。もし安全性が高く効果が出るワクチンが開発されたとしても、全人類77億人分のワクチンの生産は1日では終わりません。

安定供給に向けては1年半ほどかかるという見方が大半を占めています。供給不足となるため、ワクチンの価値はインフレを起こすでしょう。

2011年に公開された、スティーブン・ソダーバーグ監督の映画『コンテイジョン』では、未知の新型ウイルスが世界中に蔓延し、何千万人もの人が亡くなるストーリーが描かれています。

作中では、ワクチンが完成しアメリカ国民に投与される段階において、その投与順序を誕生日順で決めていきます。その理由は、病院やクリニックでの混乱と感染を避けることが目的。毎日決められたひとつの誕生日の人だけがワクチンを摂取できるというルールで、全国民がワクチンを投与されるまでに丸1年を要することになります。

アメリカ国民だけでもそれだけの期間が必要なわけですから、全世界の人にワクチンを投与するには、途方もない時間がかかるでしょう。**世界中の人類が、ワクチンをいまかいまかと待ちわびる状況を思えば、ワクチンが大きな価値を持つ**と考えるのが自然です。

国家予算

世界各国の経済は〝ICUに入った〟状態

コロナ以前、正直なところ、わたしは現在の民主主義に限界を感じていました。民主主義の原則は、多数決です。しかし現在では、誰の手のなかにも世界中の情報にアクセスできるスマートフォンがある。そして、世界で30億人以上がＳＮＳを使っている。また、時価総額１００兆円を超える企業も複数存在します。

それだけ世界規模で人と人とがつながり、情報共有がなされ、圧倒的な強さを持つ企業がある社会においては、やりようによってはバランスの取れたポピュリズム（一般大衆の利益や権利を守って、大衆の支持のもとに既存のエリート主義である体制側や知識人などに批判的な政治思想、政治姿勢のこと）も可能ではないかと錯覚していたのです。

現在の民主主義の次のかたちを模索するタイミングに来たのではないか、意思決定の民主化が大きく進むのではないか――そう考えていました。

事実、メディアや識者のあいだでも、民主主義の次の段階を議論する風潮は広がっていました。資本主義の申し子である「株式会社」という形態においても、株主の価値の最大化だけを追い求める風潮に待ったがかかっていました。株主至上主義のアメリカでも、JPモルガン・チェースのジェイミー・ダイモンCEOが議長を務め、アップル（Apple）、ペプシコ（PepsiCo）、ウォルマート（Walmart）など、アメリカを代表する企業のCEOが出席する「Business Roundtable」において、**「企業のステークホルダーは株主だけでなく、従業員、地域コミュニティ、そして社会全体に広くわたる」という声明文が発表**されました。

その声明文が発表されたのは、2019年8月のことです。SDGs（持続可能な開発目標）やESG（環境、社会、企業統治）を推進するべく、社会全体をステークホルダーとしてとらえ、その発展へのコミットに企業は動き出したはずでした。

しかし、コロナショック発生からわずか数カ月。**世界は、すべての面倒を見てくれる〝大きな政府〟を求めはじめました**。

アメリカは600兆円を超える経済対策を発表し、日本は事業規模200兆円以上の補正予算を計上。スペインはベーシックインカムを主要国のなかでは初めて導入しました。新型コロナウイルスの感染拡大によって、経済活動はままならなくなり、私権は制限され、その結果、生じる損失への補償に各国政府は動き出したのです。

日本では当初、一世帯あたり30万円の補償案が検討されました。その対象となるのは住民税が非課税になる低所得世帯などで、極めて限定的な世帯が対象でした。そこから事態は急変し、外国人を含む日本に居住しているすべての人に、ひとりあたり10万円を支給する補正予算が可決し、２０２０年5月1日に給付の受付が開始されました。

賛否両論ありますが、これまでの日本政府の動きから考えると比較的スピーディーな対応だと感じます。今回の新型コロナウイルスによる最初の困窮者《こんきゅうしゃ》は、中小企業やローカルビジネスに関わっている多くの国民ですから、すべての国民を対象とするこの給付金は意義があると思います。

同時に、持続化給付金として中小企業に最大２００万円、個人事業主に最大１００万円の一時金を給付する政策も展開されました。これも全国民への給付金と同様に、最初に手当てするべきターゲットとしては妥当でしょう。

一方、果たしてひとりあたり10万円の給付で十分なのか？　中小企業には２００万円で足りるのか？　という議論もあります。**10万円といえば大卒初任給の半分程度の金額です。２００万円は、社長と社員合わせてふたり程度の小規模の企業が、１カ月程度回る運転資金のレベルです。**売上が半分に落ち込んでしまった企業においては、１カ月から２カ月で消える金額です。とはいえ、ひとりあたり、1社あたりで考えると少額ですが、今回の経済支援策は国家としてはかなり大きな負担となる規模です。

アメリカの600兆円という支援額はGDPの約3割に相当し、日本の事業規模200兆円の予算はGDPの約4割に相当します。日本の全国民に10万円給付する支援策の予算は12兆8803億円にのぼり、その全額が国債によって賄《まかな》われます。この給付金は非課税での支給となりますから、日本の年間税収額の60兆円のうち、およそ2割を還元した規模となります。

いったん補償がはじまると、ポピュリズムは過度の補償を要求しはじめる傾向を持ちます。そこで問題になるのは、どこまでが新型コロナウイルスの影響なのか、どこまでが会社や個人固有の理由なのか、ということ。その線引きは非常にむずかしくなります。

国家の今後の対応を、医療現場での状況になぞらえて説明してみたいと思います。

まず、新型コロナウイルスは、未知の病気で命を落とす危険があります。救命のためには、ICUで治療をしなければなりません。そうした新型コロナウイルスの救急の患者が増え過ぎると、トリアージ（治療の優先順位づけ）の必要が出てきます。

いま、日本を含む多くの国家は、国内経済が〝ICUに入っている〟状態といえます。ICUでの〝手術〟が「活動の自粛」であり、〝止血〟が「損失の補償」なのです。日本での〝術式〟は、4月7日からの緊急事態宣言に伴う自粛要請と、国民一人ひとりへの10万円の支給などの支援策となります。

2019年はイギリスのEU離脱関連で大きく揺れた欧州ですが、そのイギリスのボリス・ジョンソン首相は、自らも新型コロナウイルスに罹患《りかん》しながら強いリーダーシップを発揮していると一部では評価されています（2020年6月15日時点で、死亡者数はアメリカに次ぐ多さになってしまいましたが……）。

また、国際社会においてなにかと話題を提供するアメリカのドナルド・トランプ政権ですが、政策の善し悪しはともかくとして、内需型思考のトランプ大統領でなければ新型コロナウイルスに対してこれほどの速度で600兆円という巨額の予算を計上することはなかったかもしれません。EU内の意見の不一致で一時つまずいていたドイツのアンゲラ・メルケル首相は、欧州の他国に比べて圧倒的に死亡率が低い状況から、再び強いリーダー像を示しはじめました。

そして、独裁国家であり、情報非公開型の中国では、経済的な影響を顧《かえり》みずに武漢《ぶかん》の都市封鎖をやってのけました。新型コロナウイルスの発生源とされながらも、2020年1月23日の封鎖からたった2カ月半程度で封鎖は解除され、街は日常を取り戻していきました。

第二次世界大戦後の冷戦は、主にアメリカとソ連が対立する構図でした。第三次世界大戦の不安はあったものの、ほとんどの国にとっては対岸の火事。また、1980年代の日米貿易摩擦は、日本とアメリカのあいだの経済競争という構図でしたが、影響を受けたのはG5（先進5カ国蔵相・中央銀行総裁会議の略称。参加国は、日本、アメリカ、ドイツ、イギリス、フランス）などの主要国でした。「アメリカ同時多発テロ事件」以降は、今日に至るまで「テロ対国家」という構図が続いており、いまだに収束していませんが、日本にとってテロは遠い国の他人事という感覚は拭えません。

そして、今回の**コロナショックは、「未知のウイルス対世界」という構図**です。このウイルスが現れる前、世界は分断し、情報は分散され民主化し、企業も個人も個別的な権利を主張していました。いま、グローバル経済になって以降、おそらく初めて、世界中が「同じ課題」に対して、「同時に」「全力で」向き合っています。

全世界の全国民に影響を及ぼす課題が現れた――。そんなとき、国家はどこまで国民を守れるのか。政策の規模と、実行までの速度が問われることとなりました。未知のウイルスはきっと再び現れる。今回の新型コロナウイルスについても、遺伝子変異により、第3波、第4波がやってくる可能性もゼロではありません。これから5年、10年にわたって、国家予算の編成において評価軸と優先順位づけをもう一度見直す必要が出てきます。


残念なことに、企業や国民のすべてを救うことは不可能です。

これ以上影響が拡大した場合、なにを優先し、なにを捨てるべきなのか。

国家は、予算編成というかたちで、各業界、各企業、そして国民の〝トリアージ〟を断行しなければならなくなります。

信頼経済へのシフト

「信頼」という通貨を蓄えてチャンスを広げる新世界

「信頼貯金」という言葉を聞いたことはありますか？　あるいは、「これからは個人の時代が来る」というキャッチコピーはどうでしょうか？　いずれも、近頃メディアでよく取り上げられる言葉です。

アフターコロナの新世界では、このふたつのキーワードがより重要となるにちがいありません。

これからは、「個人の信頼」が、お金の指標となり得るのです。

そんな時代がなぜ来るのか？　ここでは一度、５００年前まで遡《さかのぼ》って「お金」の価値を見直し、時代の移り変わりからその未来をとらえてみたいと思います。

①封建社会から資本主義へ～「どこ」にいるのかが重要だった時代～

資本主義はいつはじまったのでしょうか。資本主義へとシフトする前、世界は封建社会でした。王様、貴族、殿様が存在し、権力は世襲され、身分を越えることがむずかしい社会。生まれた身分によって、人生のすべてが決められてしまうような時代だったのです。

資本主義が誕生するきっかけになったのは、あるひとりの「冒険」にあったのではないでしょうか。それは、クリストファー・コロンブスによるアメリカ大陸の発見です。そもそも彼はなぜ、スペインの港を出たのでしょう。航海するための資金もなく、道標となる海図もなかった。それでもなおコロンブスが航海に乗り出したのは、「新世界」に到達するためです。**新世界を見つけることが、新たな富に直結した時代だった**のです。

ときは、大航海時代。新世界と呼ばれた未開の土地を見つけ植民地とし、その土地にある富を自国へ移動させることが、〝勝利の方程式〟でした。コロンブスが実際に到着したのは、いまでいう中南米の島々でしたが、そこから「Go West（西へ）」という大号令がはじまり、多くの船がアメリカ大陸を目指して大海原に乗り出しました。

航海には資金が必要です。大航海の結果、新たな土地を手にできれば、そこから莫大な利益を得ることが期待できます。つまり、航海という投資に対して、リターンが期待できたというわけです。

1600年、日本で関ヶ原にて天下分け目の戦が行われていた頃、遠いイギリスでは、東インド会社が誕生しました。

世界で初めて生まれた資本主義の申し子――株式会社の原形です。

なぜ、インドの「東」だったのでしょうか。それは、インドの先の東にまだ見ぬ異国があることを知っていたからです。その新世界を目指すための、挑戦――。その挑戦に資本が集まったのです。コロンブスの挑戦から、約100年の歳月を経て、資本主義が誕生しました。

この仕組みは、植民地政策と双子の兄弟のごとく世界に広がり、欧米列強の図式ができあがりました。一方、日本では戦国の世が収束し、確固たる政治と資金の基盤をつくり上げた江戸幕府が250年以上にわたり続きました。欧米諸国が植民地政策で世界中に領土を広げるなか、日本は鎖国しながら、天下泰平《てんかたいへい》の世を謳歌していたのです。**江戸幕府は250年以上も異国との戦争がない社会を経験した、人類史上唯一の国家**だと思います。

1867年11月、大政奉還《たいせいほうかん》によって日本の封建社会は終焉を迎え、資本主義の時代に突入。それは、欧米列強が黒船として来航してから10年あまりが過ぎたタイミングでした。資本主義の息吹が日本の海岸にたどり着いたことで、日本の封建社会が終了したのです。日本において確固たる封建社会が誕生した1600年に世界では資本主義が産声をあげ、その資本主義が日本に到着したタイミングで、日本において極めて安定してきた封建社会が終わりを告げたということです。

江戸から明治に生きた人々にとって、資本主義はどう映ったのでしょうか。それはまさに、「新世界」だったと思います。どう生き、どう動き、どう振る舞えばいいのか——。誰もその答えを知らなかったはずです。それまでは士農工商という身分制度が存在し、身分の壁を越えることは許されていなかった。武士は殿様に奉公《ほうこう》することで禄《ろく》（給料）をもらっていた。その仕組みが崩れ去り、身分最上位だったはずの武士だけが無職となったのです。

大政奉還は、「革命」です。革命とは、既得権益が壊され、利益の再配分がなされ、新たな社会の枠組みができることをいいます。世界において、革命とは常に虐《しいた》げられている者たちによって引き起こされてきました。

しかし、**日本の革命は既得権益を持っていた武士たちが、自らの既得権益を破壊するために行われたもの**です。**欧米列強の傘下に入り、独立を失うことを避けるために、既得権益者の一部が中心となって行われた革命――**。これは、世界で唯一の事例と見ていいのではないでしょうか。

大政奉還がなされ、資本主義へ転換しはじめた日本ですが、抵抗勢力が現れました。既得権益者である、残された武士たちです。戊辰《ぼしん》戦争から西南戦争まで、実に10年に及ぶ内戦が繰り広げられます。西南戦争が終結する直前、1冊の本が生まれました。福沢諭吉《ふくざわゆきち》による『学問のすゝめ』です。

『学問のすゝめ』は、明治を生きる人々の道標となりました。こうやって生きたらいいのか——学んで、知恵をつけ、稼いでいいのか——えらくなっていいのか——家を出て、日本全国どこにでも行って構わないのか——世のため人のために働いてもいいのか——。

当時の日本人の心は、晴れわたったのではないでしょうか。明治の人にとって、どう生きたらいいのかということを想像するきっかけを与えたはずです。

『学問のすゝめ』は、発売から数年で70万部が売れたそうです。当時の日本の人口は3500万人足らず。現在のように全国に書店があるわけでもなく、SNSもない時代に、数年で全国に広まったのです。その拡散のスピードは想像を絶するものです。

その後、国力を急速に増大させた日本は、1894年に清国《しんこく》と、1904年にロシア帝国と戦争をはじめ、勝ちました。資本主義への突入からわずか37年で、欧米列強に追いつき、日本は五大国に数えられるようになったのです。

そして、大正時代が幕を明けます。大正時代は、1912年から1926年の15年間。1954年、政治学者の信夫清三郎《しのぶせいざぶろう》によって、この時代の発展運動は「大正デモクラシー」と呼ばれるようになりました。

これはなんだったのでしょうか？　明治の44年間で、民主主義と資本主義が日本の全国民に伝播《でんぱ》しました。どう生きていくべきか？　ほとんどの人は暗中模索していたはずです。

単純に、「生き方」がわからなかったのです。しかし、国力が増し、経済が拡大するなかで、ようやく人は理解します。

デモクラシー（民主主義）の意味を。

資本主義で、どう発展していくべきかを。

大正時代、第一次世界大戦の戦争特需による好景気も重なり、人々は資本主義下での生き方を完全に理解し、突き進みました。**明治という44年の下積みが終わり、資本主義が花開いた**のです。

実は、昭和の高度経済成長はこの延長線上でしかないのではないか。

わたしはそう考えています。1989年、平成に突入するまで、日本人が突き進んだのはデモクラシーの推進でした。1939年から1945年までの第二次世界大戦を除き、資本主義での生き方を会得した日本人は、1912年から1989年までの約80年間、それに邁進したのです。

その時代、なにが世界を変えたのか？

それは、資本主義の申し子である「株式会社」です。なかでも大企業が社会を変革しました。自動車、冷蔵庫、洗濯機、テレビ……。モノのない時代に、生活に必要なものを大量に生産する。そして、それを世界に届けていく——。

だから、**「どこ」にいるのかが重要**でした。

より大きな組織に在籍し、世界にとって必要なものを大量につくり出し、大勢の人々に届ける。それが世界の変革に直結していたのです。

②資本主義の最後に来たIT革命～「なに（コト）を」するかが重要だった時代～

平成時代に移ります。２０１９年に終わったばかりのこの約30年間は、どういう時代だったのでしょうか。

「Japan as No.1」は遠いむかし——バブルが弾け、資本主義の限界が露呈《ろてい》しはじめました。それと同時に、ＩＴが普通の人々に広がっていきます。１９９５年に登場したウインドウズ(Windows)95によって、ＩＴ革命が急速に進展しはじめました。電子メールが普及し、携帯電話が普及し、情報の伝達スピードが上がっていきました。

それから約10年後の2004年にはフェイスブック（Facebook）が誕生し、ソーシャルメディアが勃興《ぼっこう》しました。それは、情報共有を促進しました。ごく普通の人々が情報を無数に発信し、世界中に伝達する力を持ちはじめたわけです。一方、1600年の東インド会社設立から世界に広がった資本主義は、その巨大さを武器に継続して世界の根幹を成していきました。しかし、一部の人たちは気づきはじめたのです。

そう、資本主義の限界に。

「次の時代が到来しようとしている」

封建社会から資本主義への転換はわかりやすいものでした。欧米列強がそれをまず示し、世界に広げたからです。しかし、2020年現在、誰も、どの国も、「資本主義の次」を知らずに生きています。

「次の時代はたしかに来る」。そんな直感めいたものを持っていながら、その「次」がいったいなんなのか、わたしたちにはまだ見えていませんでした。そこに急に訪れたのが、コロナショックでした。

IT革命であり情報革命は、資本主義の次のプロローグでしかありませんでした。

２００６年頃、「Ｗｅｂ２・０」という見方が広がりました。その理由は、伝達する力を持つ人が増えはじめたからです。２００７年にはアイフォーン（iPhone）が誕生。このプロダクトの革新性は、世界の老若男女を問わず、情報を手軽に発信する道具をつくり出したことにあります。

２０２０年現在、スマートフォンの保有者は40億人を超え、ソーシャルメディアは世界中で約30億人が使っているとされます。ＩＴ革命は、我々になにをもたらしたのか？　その答えは、情報の伝達と共有スピードが上がったこと。スモールスタートからでも、急拡大・急成長を可能にしました。そうして、平成の30年で、ＧＡＦＡ（Google、Amazon、Facebook、Apple）が生まれました。

この時代に重要なのは、「どこ」にいるかではなく、「なに（＝コト）をするか」でした。

世界が求める「なにか」を見つけ出し、それを展開する。ＩＴ、インターネットは新しい技術でそれを可能にしました。

昭和の時代は、人々がまだ持っていない「モノ」を届ける時代。そして**平成では、人々がまだ体験していない〝サービス〟という「コト」を、ＩＴを通じて届ける時代へと変化を遂げた**のです。

ＧＡＦＡという巨大な企業が短期間で生まれたことで、世界はそこに新たな潮流を感じました。しかし、そこに新たな時代を見出そうとするのはちがうと、わたしは考えています。なぜなら、そこには資本主義の次の要素はないからです。それはあくまで、資本主義の最後の波なのではないでしょうか。

ＩＴとインターネットによって、世の中にないサービスが生まれ、浸透した。それは、日本が高度経済成長期（１９６０年代から１９７０年代）に〝三種の神器〟（冷蔵庫、洗濯機、白黒テレビ）を製造し大量に販売してきた図式と同じ、ただの資本主義におけるひとつの革命に過ぎないのです。

ほとんどのソーシャルメディアは、すべてが無料です。いともたやすく、テキスト、写真、そして、動画でさえも、「全世界」に共有できるようになりました。そして、我々は、よりつながりを感じられるようになりました。より、世界を見ることができるようになりました。

一方、発信があまりにもたやすいことから、真実でない情報が世界にあふれかえりました。誹謗中傷《ひぼうちゅうしょう》の嵐が、数日で世界中に伝播することも日常茶飯事。ソーシャルメディアを届ける巨大企業が、自己の利益のために、フェイクニュースを流す事件も起きました。

ＩＴの発達によって、情報の伝達と共有スピードが上がったことで、スモールスタートからの急拡大が可能になりましたが、それが逆に仇《あだ》となり、本物でない「コト」が世界中に流布することにもなったのです。

もはや、世界中で公開されている「コト」には真実はないかもしれません。人々は、いまソーシャルメディアに疲れ果てています。その仕組みに歪みができつつあるのです。

バブル崩壊以降膨れ上がった日本政府の借金。イギリスのEUという仕組みからの離脱。アメリカのトランプ政権の是非。テロと国家の対立。GDPという指標の限界……。

GDPの成長が20年停滞した日本が、なぜか世界でもっとも安全であり、世界でもっとも安価に最高のサービスと食が手に入る国になるという皮肉も生まれました。

資本主義の限界と、IT革命の功罪がひとつの大きなうねりとなって、2020年の現在の我々を襲っている気がしています。そのうえに、さらにコロナショックが覆いかぶさってきたのが今日なのだと思います。

③資本主義から信頼経済へ～「誰と」動くのかが重要になる時代～

資本主義の次の価値観である、IT革命の先にある未来が、まさにいま、花開こうとしています。その転換を後押ししているのが、コロナショックです。

時代の転換が起こるには、大きく3つの要素が必要であるとわたしは考えます。その3つとは、**「非連続なテクノロジーの発展」「社会の仕組みの変化」「人の価値観の転換」**です。

まず、「非連続なテクノロジーの発展」について。

資本主義の次への動きに影響を及ぼすテクノロジーは、大きく分けてふたつ。それは、「AI」と「ブロックチェーン(分散型台帳技術、または分散型ネットワーク)」です。

AIは、企業のあらゆる事業の仕組みをデジタル化させていくもの。これまでの資本主義を支えてきた知的労働者の役割が、AIによる自動分析に置き換わっていくのです。AI登場以前に貴重とされていた「役に立つスキル」が、突如コモディティ(代替可能)化してしまう可能性が出てきました。

これまで、「むずかしい」とされてきた仕事や分析作業などを進めていくために必要なのは、スキルを持つ人ではなく、それを処理できるコンピュータです。AIが処理できるようなものは、極限まで効率的に処理する方向に進んでいくことでしょう。**単に役に立つスキルを持つ人の必要性は低くなり、そこにいることに「意味がある人」が求められます。**

ここでいう「意味がある」とは、たとえば、その人がいるからそれに関わるメンバーの人たちは笑顔になる、やる気が起きる、場が和む。その人がいるから交渉相手が交渉のテーブルについてくれる。そんなことを指しています。いわば、置き換えが利きにくい存在感があるということです。

次にブロックチェーンについて。

ブロックチェーンとはある技術のことで、IT革命の次の革命として注目され、2016年頃より書店などでもよくそのことが書かれた本を見かけるようになりました。しかしながら、技術としてはかなり複雑であり、概念も理解がむずかしく、いまだに一般的には浸透していません。

ブロックチェーン技術をひとことで表すなら、「非中央集権」という言葉になります。ブロックチェーンを用いれば、**中央集権的な役割を必要とせず、あらゆる価値の承認を処理できます**。

たとえば、銀行の送金について考えてみましょう。

自分の口座から相手の口座に送金する際には、通常は口座のある銀行が中央管理しています。データセンターにおいて送金データの処理がなされ、金銭的価値が移転したことを記録。そのことを、銀行が保証します。送金する側も、受け取る側も中央管理されているから安心することができます。一方、ブロックチェーンによって送金システムを構築する場合は、そのような中央管理者が不在でも、同じように安心して送金をすることができるようになります。

このようなブロックチェーン技術が社会インフラのなかに浸透すれば、国家のような中央意思決定機構が不在でも、ものごとが公平に透明性を担保したまま進んでいくことが可能です。単に信頼を担保するためのシステムや会社も、必要性が低くなるでしょう。**公正に正確にものごとを進める人が不在でも、問題のない世界がやってくる**ということです。


そして、「社会の仕組みの変化」も、コロナショックで起こりました。というよりも、コロナショックは社会の仕組みを否応なく変え、人の価値観の転換にも大きな影響を及ぼしたという見方ができます。

コロナショックによって、在宅・リモートワークがあたりまえとなりました。もはやわたしたちはオフィスに集う必要はなく、都市という狭い空間に多くの人がいる必然性もなくなりつつあります。効率的な経済をまわすために存在した都市の意義は薄れ、そのために設計された交通網などの社会インフラは見直されていくことでしょう。コロナショックは、確実に社会の仕組みを変えようとしています。


「人の価値観の転換」も起きています。

これまでは、人の信頼に対する価値観は実に多様なものでした。ＡＩ技術にまだ信頼を置けない人がいれば、中央管理者がいないブロックチェーン技術をいぶかしむ人もいて当然です。リアルに会わなければものごとをはじめられない人、会食を重ねなければ相手を信用できない人、オンラインミーティングだけでは意思決定しない人がいました。もちろん、それらの逆も然《しか》りであって、その割合が一気に増えたと思います。

コロナショックによって、オンラインでの人間関係しかなくても、ものごとを進めていける価値観を持つ人がマジョリティになりつつあるのです。

人が人を信頼するために必要なことはなんでしょう？　一度も会ったことがなくても相手を信頼できるリモートトラストをどのように構築すればいいでしょう？　単にものごとを公明正大に処理するだけであれば、それはＡＩとブロックチェーンが対応してくれます。この技術の後押しが、リモートトラストをさらに浸透させることになります。あらゆることをオンラインで進められるようになったとき、わたしたちは世界のどこにいても、世界中をフィールドとして生きていくことができるようになるのです。

未知のウイルスによってリアルで会えない時間が続くけれど、それでもわたしたちは生きていかねばならないし、ビジネスを進めていかねばならない。コロナショックによって、確実に人は一歩進んだのです。**わたしたちが想像するよりも、個人のパワーが遥かに増大**

したのです。たとえ自宅にいながらでも、個人ができることが急速に拡大したのです。

そこで大事なのは、**アフターコロナの新世界は、「個人が中心の時代」**になるということ。

資本主義の下では、企業と企業の協業によって世界は急速に発展してきました。しかし次の時代では、個人と個人、または個人と企業で協業し、世界を変革していくことができるようになります。

だからこそ、**次の時代では「誰と」動くのかが重要**になる。

そんなとき誰を選ぶべきか——また、どのような人が選ばれるのか。それは、「信頼貯金」がカギとなります。高度な処理はAIやブロックチェーンという技術が解決してくれます。でも、信頼というのは、機械のように単に役に立つからという理由では蓄積されていきません。**相手にとって、意味があるかどうかが重要**となります。

そばにいてくれることで安心できる、日々気遣いのメッセージをくれる、自分が興味を持ちそうな本や記事を教えてくれる、突如オンラインミーティングに参加してその場に笑いを巻き起こしてくれる、自分の発言に共感してくれる、あの人はこういうことを知りたがっているのではないかと想像を膨らませることができる……。

結局、信頼とは、相手にとって意味があるかどうかを想像し、意味のあることを実行することで蓄積できるのではないかと思います。そうして蓄積された信頼によって、人と人との動きは加速していきます。

それが、これから来るであろう「信頼経済」です。

先に触れた『学問のすゝめ』が出版されたのは、1872年のことでした。その本のなかで、資本主義という新世界での生き方がまとめられています。それから148年を経た2020年、**コロナショックによって資本主義から信頼経済への転換がはじまろうとしています。**

信頼経済というものは、わたしたちにとっての新世界——。本書が、その新世界における『学問のすゝめ』の役割を、少しでも担えれば幸いです。

第4章

人類2.0

「人類2・0」にバージョンアップするための道標とは？

太平洋戦争以降、わたしたち日本人が目にしてきた危機というのは、どこか遠い世界のものとして映っていた部分もありました。

2001年9月11日のアメリカ同時多発テロもそのひとつでしょう。わたしたちはニューヨーク・マンハッタンにそびえる二棟の世界貿易センタービルに旅客機が衝突する様を、まるで映画のワンシーンのように見ていました。

「これは、この世界に起きている現実なのだろうか？」と。

2008年のリーマンショックはどうでしょうか。ニューヨークが震源のこの危機において、最終的にアメリカは、3兆ドルの経済対策の実施と負債総額6000億ドルというリーマン・ブラザーズの倒産を引き起こしました。しかし、日本にいるほとんどの人にとって、それは対岸の火事でした。

株式をはじめとする金融資産を保有している人にとっては大きな目減りとなりましたが、もとよりそれは増減する性質の資産であり、価格の急落というリスクはいつもついて回ります。たしかに大きな金融危機であり、それによって破綻・倒産した企業も多数出ましたが、ここ**日本における一般社会の〝日常〟には大きな変化は及びませんでした。**

少し時代を遡ると、1997年にはアジア通貨危機がありました。韓国で起きたという記憶がある人もいると思いますが、この危機はタイやインドネシアにも大きな影響を及ぼしています。2001年には、アルゼンチンがデフォルト（債務不履行）におちいりましたが、このことをどれだけの人が覚えているでしょうか。

新型コロナウイルスと比較されるSARS（重症急性呼吸器症候群）はどうでしょうか。こちらも新型コロナウイルスと同じく発生源は中国で、2002年に最初の患者が報告されています。2002年11月1日から2003年7月31日までに、全世界で8098人が感染し、774人の命が奪われました（WHO調べ）。ちなみに、29カ国・地域で感染者を出しましたが、日本はゼロでした。

日本国内に目を向けると、2011年3月11日に発生した東日本大震災は、わたしたちが感じた危機としては大きなインパクトを残しました。当時わたしは丸の内で働いていたのですが、オフィスの自席で想像を絶する揺れを感じました。その日、オフィスがある丸の内から18キロメートル離れた、当時住んでいた大田区の自宅まで4時間かけて歩いて帰宅したことは忘れられません。

地震と津波によって、約2万5000人の死傷者・行方不明者が出ました。

これは甚大な被害であり、被災地に住んでいた多くの人の日常は奪われてしまいました。原発をはじめ、いまだにたくさんの傷跡は残ったままですが、震災後は、日本全国からの支援やボランティア、アメリカや台湾をはじめとする諸外国からの大きな支援もあり、復旧へと徐々に進んでいきました。

東日本大震災は、たしかに日本国内における震災としては阪神・淡路大震災以来の大災害です。しかし、**被災地以外の地域の人たちは、震災翌日には仕事をはじめ、近所のスーパーに日々の食品を買いに出かけたりしていました。**

わたしは2011年4月某日、宮城県石巻市までボランティア活動に出かけ、津波で1階部分が土砂で埋まってしまった酒店の土砂の除去作業をしました。わたしにとっての非日常は、その日だけだったかもしれません。それ以降は、「働くことや消費することで経済を回していくことが自分の役割」ととらえ、仕事に邁進していただけでした。

そして、今回のコロナショックです。

わたしたちが感じた変化は、目の前にあるごく普通の日常からはじまっていきました。学校に行けない、仕事やオフィスに行けない、外食に行けない、公園に行けない、旅行ができない、馴染みのお店の閉店の張り紙を目にする、マスクやティッシュはおろか小麦粉も売り切れるスーパーが続出する、人がいない都会、乗客が乗っていない新幹線……。目の前の景色が日を追うごとに変化し、人々の心を追い詰めていきました。東日本大震災とは異なり、目を覆いたくなる惨状が目に飛び込んできたわけではありません。でも、目に見えないウイルスという敵に怯える日々が続いています。

これまでは、都会に人が集うことで経済の大きな歯車が回っていました。でも、もうその常識は変わろうとしています。**都会に集わなくても経済を回す方法を、わたしたちは手に入れつつある**のです。

本当に都市は必要なのだろうか？
空さえ見えないビルの谷間に生きることに意味があるのだろうか？
そんなことを思いながら——。

日本では緊急事態宣言が発令されました。これは、戦後初めてのことです。感染の拡大状況や、経済対策の内容を伝えるために、連日、各都道府県知事や安倍晋三首相の記者会見が行われました。自分自身が被《こうむ》る損失、周囲の人たちに降りかかる被害、日本国内だけでなく世界の人たちの目の前に立ちはだかる困難、それらを最小限にする方法を見出すため、わたしたちは彼ら彼女らの話に固唾《かたず》を呑んで聞き入りました。

200万人を超える感染者を出したアメリカ。欧州全土における感染拡大。それに比べ、**日本における感染拡大は2020年5月末時点で、いったんは抑え込まれました。日本国民の自主性を重んずる「自粛」によって、ひとつの危機を日本は乗り越えた**ようにも映ります。

東日本大震災後の被災地の映像を思い出します。そこには、スーパーやコンビニ、またはボランティアによる炊き出しの場所で、礼儀正しく並ぶ日本人の姿がありました。その美しい行動を、世界中が報道し賛辞を送りました。極端にいえば、「自粛」だけで新型コロナウイルスの感染拡大を抑え込んだ日本の国民性に、世界は再び驚くことでしょう。

最終章「人類2・0」では、コミュニティの変化、街のかたちの変化、都会と地方の関係という日常からはじまり、日本のこれから、世界はコロナ以降にどういう姿になっていくべきなのか。

地球上に生きるわたしたち人類が、次の段階――「人類2・0」にバージョンアップするための道標を考えていきます。

コミュニティ

〝居場所〟はオンライン上へ。オンラインネイバーの感覚が生まれる

コロナショックを機に、コミュニティへの関わり方、コミュニティのかたちそのものも変化していきます。

もともと、都会のマンションに住んでいる人々の多くは、〝ご近所づきあい〟のような地域コミュニティへの参加意識が高くありませんでした。マンションの隣に住む人の名前や顔すら知らないということも普通のことです。

一方で、SNS上では数百人、数千人のつながりを持ち、日々コミュニケーションをはかっていました。

コロナ禍のいま、毎日のように日本全国でオンラインイベントが開催されています。もちろん、参加者は日本全国から集ってきます。わたしが運営するオンラインサロンのイベントにも、東京はいうに及ばず、北は東北から南は九州まで、さらにはシンガポールやマレーシアといった海外からの参加者が集まってくるほどです。

オンラインイベントのよいところは、人数の限定や予約の必要がない限り直前でも参加を決められることにあると思います。

イベントの情報を知って興味を持ち、仮にその時点では都合がつかなくてもスケジュールとしてはなんとなく入れておく。その後、たまたま予定が空いたなら、パソコンをつけてアクセスするだけで参加することが可能です。加えて、オンラインイベントはずっと画面に集中していなくてもいいし、音声を聞くだけのスタイルでもなんら問題ありません。さらには、途中で抜けることも簡単です。

「オンラインネイバー（Online neighbor）」という感覚を持ちはじめた人もいるようです。ネイバーとは「隣人」という意味をもつ単語です。つまり、オンラインのなかにおける隣人ということです。

とあるオンラインイベントに参加する。参加者同士で、インタラクティブな会話が発生する。また別の日にちがうイベントに参加したとき、以前にオンライン上で会話した人とまた出くわす。そんなかたちで何度か出会うと、オンラインネイバーという親近感が湧いてくるのです。

これはまさしく、コロナ禍ならではの新しいコミュニティのかたちの現れではないでしょうか。

オンライン上でもっと強固なコミュニティを形成しているのは、オンラインサロンです。オンラインサロンは、実業家の堀江貴文《ほりえたかふみ》さんや、お笑い芸人であり絵本作家、実業家としても活躍する西野亮廣《にしのあきひろ》さんら著名な方々が中心となってはじめたものですが、現在は3000程度存在し、30億円ほどの市場規模を形成するまでに至っています。なかでも、西野さんが運営する人気のサロンは6万人以上の参加者を誇り、その規模は、ひとつの〝街〟を形成しているとも見ることができます。

アフターコロナの新世界では、より多種多様なオンラインコミュニティが増えていくことになります。オンライン上で過ごす時間が相対的に長くなり、オンラインサロン、SNS上のグループ、ライブ配信イベントなどで他者と関わることが多くなるからです。そうした関係が深く長く続くと、リモートトラストが形成され、人と人との個人単位でのコラボレーションが加速します。

そして同時に、リアルな現場でのコミュニティにも新しい動きが出てきます。というよりも、**新たなコミュニティの形成が喫緊《きっきん》の課題だといえる**かもしれません。

たとえば、病院とホテルの関係ならばこんな課題があるはずです。近い将来、また新たなウイルスが現れたときに、あたりまえのように入院病棟の不足を民間のホテルで補う日がやってきます。それに対応するため、**政府、自治体、病院、そしてホテルの4つのコミュニティが集まり、有事の際の連携をスムーズに行うための官民連携のネットワーク形成も必要不可欠**になります。

街

テクノロジーと制度づくりの両面から「対ウイルス」に備える

ここ日本では、2020年4月16日に、47都道府県に対して緊急事態宣言が出され外出自粛が求められました。その時点での新型コロナウイルスの感染者数は約1万人ほど。それに対して、1億人を超える日本の全国民が行動制限を受けたことになります。

新型コロナウイルスに対するわたしたち人類の対抗策は、「Stay home」です。わたしたち人間というのは、極めて無力です。なにせ、感染者1万人に対して、その1万倍の1億人が制限を受けるのですから。対抗策は、「ただ家にいる」こと。これはなんだかとても妙なことに思えてきます。なにが問題なのか？

ウイルスではなく、現在の街のかたちが問題なのではないでしょうか。

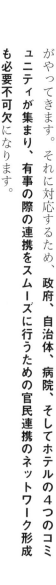

今回の新型コロナウイルスで危機が終わるわけではありません。人類が食べ物を大量に消費し、そのために自然環境を破壊して工場が建てられ、そこに人が行き来する限り、5年後、10年後、また新たなウイルスが世界に広まる可能性は十分にあるでしょう。

未知のウイルスに対して、外出の自粛と「Stay home」という原始的な対抗策で立ち向かうのではなく、**たとえ国内に数千人から数万人の感染者が現れたとしても、社会や経済は通常通り進んでいくような「街2・0」へ、いまの街をつくり直していくべき**ではないでしょうか。

わたしたち日本人はこれまでも、テクノロジーの発展や価値観の変化に合わせ、自分たちの住む街のかたちをつくり替えてきました。

自動車の利便性を高めるため、全国津々浦々にアスファルトの道路をつくり、信号を配置し、ガソリンスタンドを建設しました。

街中での突然の心停止に対処するため、コンビニやビルなどいたるところにAED（自動体外式除細動器）を設置しました。

もっと大きなところでは、戦争の抑止力としてのミサイルやレーダーの監視設備、基地も次々と建設しました。

これらと同様に、**ウイルス発生を見据えた街づくりをすべき**です。**「ネクストコロナ」が現れるまでに、莫大な予算を費やしてでも日本の街を変えていかねばなりません。**たとえそこに、10兆円規模の予算がかかったとしても、それはウイルスによる経済停滞の損失よりは格段に小さなものです。

では、具体的に「街2・0」をつくりあげるための方策を考えていきます。

この街づくりには、わたしたちの暮らしに対ウイルス的なテクノロジーを組み込んでいく面と、ウイルスの感染拡大を食い止め経済的な被害を最小限に抑えるための政策・制度の策定の両面からの視点が欠かせません。

ポイントは大きく分けて以下の4つです。

①ウイルスをシャットアウトする「水際対策」の徹底
②ウイルスの発生と感染を把握する「感知と捕捉」の徹底
③ウイルスの感染を抑える「拡大の防止」の徹底
④被害を受けた人に対する「支援の高速化」の徹底

順番にひもといていきます。

①ウイルスをシャットアウトする「水際対策」の徹底

重要度がもっとも高いのが、海外や国内のどこかで未知のウイルスが発見された際に、その地域からのウイルスの流入を即座にシャットアウトできる制度づくりでしょう。

日本は、海外からの流入を防ぐために人の移動を制限する法制度がなく、今回も中国をはじめとする諸外国で新型コロナウイルス感染者が増加しても、即座に入国を制限する措置を取ることはできませんでした。

たとえばシンガポールでは、中国、韓国、イタリアに渡航履歴のある人の入国を２０２０年２月の時点で即座に禁止しました。しかし、ほかの欧米諸国からの入国は３月中旬まで禁止しなかった。それが感染拡大の第２波につながり、４月以降、感染者数は急増することになりました。人口約５６０万人の小国シンガポールにおいて、４月１日時点での感染者数が約１０００人だったのが、６月15日には４万人を超えるまでに拡大したのです。

このケースからも、入国を制限する水際対策の重要性がよく理解で

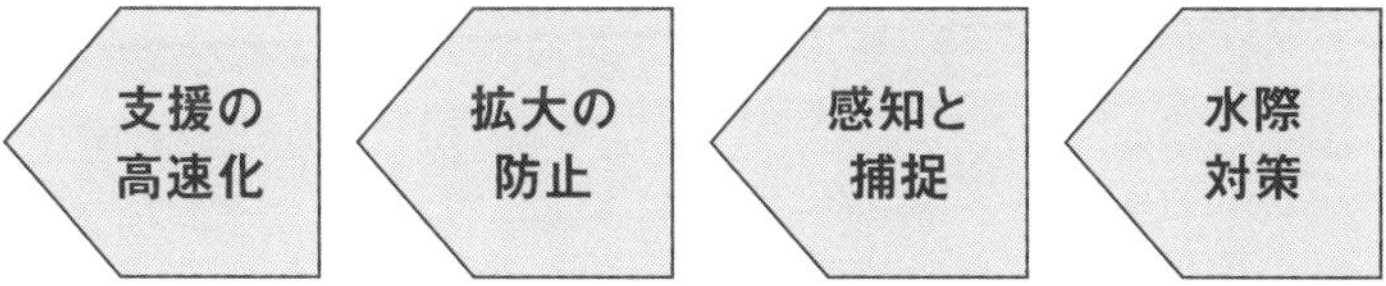

きます。

そして、仮に入国を許容するにしても、徹底的な隔離措置（新型コロナウイルスでいえば14日間の隔離）を行えるような街づくりが求められるでしょう。

3月末からの日本国内での感染拡大は、あきらかに欧米諸国から帰国した人たちを起点にしたものでした。日本の対応が後手に回ったのは、水際でせき止めるために入国制限を行う根拠となる法律がないことでした。やはり、ウイルスが感染拡大することを想定し、入国制限、行動制限など個人の権利の制限が可能な新法制度の整備が早急に必要です。

もちろん、個人の権利を法律で制限することには慎重な議論があって然るべきでしょう。しかし、14世紀の欧州で2500万人以上の命を奪ったといわれるペストのような、致死率の高い危険なウイルスが現れる可能性がないとはいえません。人間の生命を第一に考えるならば、個人的には新法制度の整備はやむを得ないと考えます。

②ウイルスの発生と感染を把握する「感知と捕捉」の徹底

次に求められるのが、街中でウイルスの発生や拡大を感知し、家でも捕捉するシステムの整備。費用やプライバシーを度外視すれば、対策はいくらでも思いつきます。

・街中にバイオセンサーを張り巡らせ、感染の可能性のある人をいち早く検出
・玄関などにバイタル計測器を設置し、クラウドでデータをシェア
・飲食店や商業施設の入り口へのバイタル計測器の設置の義務付け
・すべての人の行動履歴をビッグデータとして蓄積し、感染者との濃厚接触者にはリアルタイムでアラートを通知

これらをひとことでいうならば、**対ウイルス発生社会に対応したテクノロジーとインフラの整備が必要**ということになるでしょう。完全に整備されれば、たとえ数千人が未知のウイルスに感染し治療薬が発見されていない状態でも、国民に極端なまでの行動制限が及ぶことはなくなります。技術的には、日本全土にこうしたインフラを整備することは可能なはずです。

では、費用とプライバシーを考慮したとき、どこまでのことが可能かを検証していきます。バイオセンサーや1億人分のバイタルデータを捕捉可能にするインフラ整備には、莫大な費用がかかることはいうまでもありません。ウイルスは空中を拡散する傾向があり、新規ウイルスを感知できるほどのバイオセンサーの開発には、新技術が求められます。

一方、家で行うバイタルデータを収集するための計測器を仮に約5000万世帯に設置するならば、1世帯あたり10万円だとして全体で5兆円の費用捻出が必要になる。バイタルデータとして各家庭で取れるデータは、体温、脈拍、血液、尿などでしょうか。クラウドにつながった体温計や脈拍計、ピン針タイプの採血器、尿についてはシャワートイレへの測定装置の設置などが想定されます。しかしながら、この測定の実施は各人に委ねられることになり、データの取得率が上がらない可能性があります。

ウイルスの感染者が見つかったとき、即座に過去の濃厚接触者を把握できる仕組みはどうでしょうか。アップル（Apple）やグーグル（Google）が、新型コロナウイルスの感染経路、濃厚接触者の洗い出しのため、行動をトレーシング（追跡）できる技術を開発すると2020年4月に発表しました。両者はこの仕組みの利用を、各国の公衆衛生当局に委ねるという見解を示しています。日本では、厚生労働省が開発主体となるとの報道がありました。

スマートフォンはほとんどの人の日常に溶け込んでおり、十分な量のビッグデータが蓄積される可能性を秘めています。

全国民の「接触」をトレースすることで、ウイルスの通り道が把握できます。感染者と

の接触の可能性がある人だけを瞬時にあぶり出し、外出自粛や自宅待機などの措置を取っていくことができるのです。

たとえば、何気なく外出した先で、その近辺にいた人が感染者と確定した場合、通知によってそれが知らされるということも可能でしょう。

③ウイルスの感染を抑える「拡大の防止」の徹底

新型コロナウイルスの感染拡大を防止する策として行われたのは、外出自粛の要請や、物理的な距離を取る「ソーシャルディスタンス（社会的距離）」の徹底でした。

そうした施策の問題点のひとつは、買い物などを除き不要不急の外出を一律に制限するような極端なルール設定と、その解除の基準が国によって示されていないことにあったと思います。

感染拡大状況を段階的にとらえ、どの段階でどこまでの行動制限を行うかのルールづくり、そして、制限解除の基準や数値目標を策定することは絶対に必要です。

今回の件で、わたしたちには〝免疫〟がついたため、そうしたルールを導入するハードルは高くないはずです。たとえばこんなフェーズを明確にするのです。

フェーズ1：未知のウイルスが発見されたが国内で確認されたケースはない状態
フェーズ2：国内の特定エリアでのみ感染者が確認されている状態
フェーズ3：複数のエリアで感染者が確認されている状態
フェーズ4：過去1週間の感染者数に増加傾向が見られた状態
フェーズ5：感染者数の増加傾向が指数関数的傾向を示しはじめた状態

このように段階を定義しフェーズごとに求める対応策を決め、そのあとに実行する政策をまとめることで、国民の理解度も増しスムーズな行動変容につながることでしょう。

日本では2020年5月に入り、各自治体がそうしたフェーズの定義を発表しはじめました。たとえば大阪府は、「大阪モデル」という指針を5月5日にいち早く発表。茨城県では、5月7日に「茨城版コロナNext」という対策指針を発表しました。茨城県の対応にはユニークな点があるため、少し紹介したいと思います。

日本で感染者がもっとも多い地域は、東京都を中心とする都心1都3県（東京都、千葉県、神奈川県、埼玉県）です。そこに隣接する茨城県は、都心へ通勤する人も非常に多い県として知られています。同県が5月15日に発表した内容は、茨城県内に関しては、ステ

茨城県庁発表「茨城版コロナNext」資料より著者作成

	Stage1 感染が 抑制できている 状態	Stage2 感染が概ね 抑制できている 状態	Stage3 感染が 拡大している 状態	Stage4 感染爆発・医療 崩壊のリスクが 高い状態
主な判断基準	県内増加 1人/日以下	県内増加 5人/日以下	県内増加 10人/日以下	県内増加 10人/日超
	都内経路不明 10人/日以下	都内経路不明 50人/日以下	都内経路不明 100人/日以下	都内経路不明 100人/日超
	重症病床稼働率 10%以下	重症病床稼働率 30%以下	重症病床稼働率 60%以下	重症病床稼働率 60%超
	病床稼働率 30%以下	病床稼働率 45%以下	病床稼働率 70%以下	病床稼働率 70%超
外出自粛	○ 一般の方 ○ 高齢者など	○ 一般の方 × 高齢者など	○ 一般の方 × 高齢者など	× 一般の方 × 高齢者など
	○ 平日昼間 ○ 週末 ○ 夜間	○ 平日昼間 ○ 週末 ○ 夜間	○ 平日昼間 ○ 週末昼間 × 夜間	× 平日昼間 × 週末 × 夜間
	○ 県外	× 県外、特に東京圏	× 県外、特に東京圏	× 県外、特に東京圏
休業要請	新たな日常ルールの徹底(休業要請は行わない)	濃厚接触が避けられない、感染経路がたどりにくい業種に限定	3密になりやすい業種に限定 劇場、食事提供施設などはガイドラインを遵守し営業	遊技、遊興施設、文教施設など幅広く対象 食事提供施設は営業時間を短縮

ージ1「感染が抑制できている状態」と評価していますが、1都3県はステージ2「感染が概ね抑制できている状態」と見立てています。そのため、県の運営としては、1週間はステージ2で運用し問題がなければ翌週にステージ1にシフトしていくという方針でした。

つまりこれの意味するところは、**自らの県（茨城県）がいかに感染を抑え込んだとしても、東京などの他都県からの流入を考慮し、抑制状態を継続するような措置を取った**ということです。

国も経済活動への段階的な緩和措置を取りつつ、各地方自治体も地域の評価を独自で行い、活動の幅を決めていく。1日でも早く経済活動を元のかたちに戻したいのは、国も地方自治体も変わりません。そのなかで、経済と命とを天秤にかけ、どう舵取りをしていくのか。各地方自治体の首長の手腕が問われる数カ月でした。

もちろん、①として挙げた「水際対策」が徹底されていれば、そうした人の行動を制限する施策に打って出る可能性は低くなります。

今後、国家単位で基本方針が策定され、地方自治体においては、その土地の状況や環境に応じて細かく整備されていくことと思います。

④被害を受けた人に対する「支援の高速化」の徹底

ウイルスの拡大を抑えようとする過程においては、やむを得ず営業を制限される飲食店や、大幅な減益となる企業、そこからの景気悪化によって仕事を失う人も確実に出てきます。そうした局面において、スピーディーに金銭的な支援を行うことができるようにするシステムの整備も、健全な街づくりのためには不可欠です。

今回の新型コロナウイルスのケースでは、日本政府は4月20日に、全国民一律の現金10万円の給付を決定しました。当初は大幅に収入が減少した世帯へ30万円の給付という支援策が発表されましたが、より広い範囲へスピーディーに支援を行うという目的で、急遽、変更されたものでした。給付申請のウェブサイトは、5月1日にリリースされました。

給付範囲と金額変更に迅速に対応したことと、わずか10日余りで申請のためのウェブサイトを構築したことを思えば、関係者たちは不眠不休で調整したことでしょう。事実、このスピード感はわたしがこれまで生きてきたなかでも感じたことがないものでした。それだけの国難であり、緊急を要する状況だったわけです。

しかしながら、申請や送金の処理には課題も多そうです。SNS上では、ウェブサイトでの申請中にシステムがエラーになったり、サーバーが落ちたりしてしまった状況を示す画像が拡散されました。無事に申請できたとしても、給付まで1カ月以上かかるケースもザラのようです。オンラインではなく郵送での申請を推奨する自治体があとを絶ちませんでした。

究極的な理想をいうならば、支援の実行は即日であることが望ましいでしょう。運営資金がショートしそうな危機的状況にある中小企業には、数日の猶予も残されていません。個人の場合であれば、申請の段階でつまずくことも大いにあり得ます。事業の危機、そして生きるか死ぬかの切羽詰まった状況下においては、金銭的な支援は急務なのです。

マイナンバーを起点として、住所、世帯構成、就労先、銀行口座情報、納税情報、住民票などすべての個人情報が一元管理されていれば、申請のためのウェブサイトすらつくる必要がありません。支援策を決めたあと、そのデータベースにある情報に従って自動送金すればすべては完了。それなら、即日実行も可能なはずです。

こうしたアカウント管理は、新規でつくられたECサイトやスマートフォンのアプリなどではごくあたりまえに実装されています。国民全体の規模ともなれば労力は要しますが、実際にできることなのです。

かつて、基礎年金番号に統合・整理されていない記録が約5000万件あることが判明した「年金記録問題」がありました。その反省は当然活かすとして、今回の**コロナショックを、すべての省庁を横断してオンライン上で情報を統合する電子政府化への大きな転換**

点とするべきです。

ウイルスの感染拡大は、政治的な決定を待ってくれません。そして、政策対応の遅さは国際社会での出遅れを招くものでもあります。また、1億人以上いる国民すべての行動を制御することもむずかしいでしょう。だからこそ、有事に備えてシステムを整備し、ウイルスの感染拡大に負けないようなスピード感を持った支援環境を整えるべきなのです。

東京と地方

資本主義的な一極集中から、「快適さ」を重視したワークライフへ

今回のコロナショックは、**わたしには「資本主義に対する挑戦」のように映りました。**

超高層ビルを建て、超効率的な移動路線を実現し、超満員電車に耐えて通勤する——**資本主義のうえに成り立つ、「株式会社経営」を効率化するための都市インフラ、そのすべてが否定された**からです。

この事実により、都会と地方の関係性も変わっていくはずです。

東京などの都市は、まさに3密（密集、密閉、密接）の状態でした。

日本の人口は約1億2600万人です。東京都を含む首都圏の人口は、約3670万人で、関西圏は約1910万人。首都圏と関西圏で人口の5割近くを占めることになります。

戦後一貫して、都市部へと人口は流入してきました。1950年の都道府県の人口ランキングを見ると、1位の東京都（628万人）に続くのは、2位北海道（430万人）、3位大阪府（386万人）、4位福岡県（353万人）、5位愛知県（339万人）となっています。当時は、東京や大阪に一極集中していたわけではありませんでした。

当時の首都圏と関西圏を合わせた人口は約2466万人で、それは全人口約8320万人の30％ほど。そこからこの70年間で日本の人口は約4300万人増え、そのうちの約75％、3200万人を超える人が首都圏及び関西圏に移住してきたのです。

なぜこの都市化が起きたのか？　それは、企業運営の効率化のためにほかなりません。都市部に大規模なビルを建設し、そこに従業員を集めて業務効率を高める。労働人口の増加に伴い駅と電車の数を増やし、何千万人もの通勤に対応するべくキャパシティを広げてきたのです。

東京、神奈川、千葉、埼玉の駅の合計数は1500を超え、新宿駅は1日の乗降客数が350万人以上と、世界最大規模にまでなりました。海外からの旅行者は、満員の通勤電車を物珍しそうに写真に収めていきます。

コロナショックは、そんな都市への一極集中に「NO」を突きつけました。

多数の人との接触が起き得る都市への移動の自粛、繁華街などへの外出の自粛、そして、在宅での勤務。それら今回の経験を経て、多くの人の価値観が変わったはずです。

在宅・リモートワークを快適に感じた人は、今後はそうした働き方を志向します。コロナ以降の世界で、満員電車での通勤が必要となる企業は忌避《きひ》されるでしょう。そこで働く人たちは、きっと転職を考えはじめます。

在宅・リモートワークが可能なのであれば、子を持つ親たちは、子どもたちにとって理想的な環境はどこかという視点で家を探しはじめます。大都会のコンクリートジャングル、ビルに囲まれた小さな公園、家のなかで走り回ればすぐに騒音の苦情が飛んでくるマンション……。いまの環境に息苦しさを感じる人は少なからずいます。

もちろん都会での生活を好み、都心に住居を構えることを望む人も多数います。それぞれの人の価値観で住む場所は変わってくると思います。

でも、これは確実にいえます。

アフターコロナの世界では、居住地を考える際の順番が変わるのです。

これまでは、会社があり、それを起点に住む場所を考えてきました。そうではなく、**自分にとって理想的な住む場所をまず考えればいい**のです。そのうえで、仕事を選ぶ。つまり、職場がどこにあるかはそれほど重要な要素ではなくなっていくということです。

わたし自身、現在は茨城県のつくば市に住んでいます。2017年に海外から日本に帰国した際に、この地を選びました。それまでは、縁もゆかりもない場所です。選んだ基準は自然が豊かなこと、土地がゆったりとしていること（道路が広いなど）でした。都内には1時間ほどで出られるので、それでいいかなという程度にしか考えていませんでした。つくばエクスプレスの最寄駅までは自宅から6キロメートルほどあります。歩けば1時間以上の距離です。路線バスは1時間に1本程度しかありません。

でも、緊急事態宣言中でも、近所の森に行き、人気のない自然のなかを気軽に散策できました。交通はたしかに少し不便ですが、気分転換する場所には困りません。

首都圏に住む約3670万人で考えるなら、3分の1程度の、大企業で働く人たち及び、その家族まで含めた約1200万人の人たちは、自然豊かな地方に住み、在宅・リモートワークで働く環境へ移行する予備軍となるのではないでしょうか。

これまで地方自治体は「地方創生」として、各地での産業育成及び工場誘致、観光資源の魅力向上などに努めてきました。しかしこれからは、**在宅・リモートワーカーに向けた快適な環境整備という観点で動くべき**です。

移住する側にとっては、都心へ出る際の利便性、新幹線の駅や地方空港へのアクセスのしやすさがポイントとなるでしょう。

そもそも都心の「3密状態」は、人間が生きる空間としてはあまり快適なものではありません。それは、都心に生きる人の大半が感じていることです。

コロナショックがもたらしたもののひとつに、ワークライフを充実させるにはどこに住むべきかを考えるきっかけがあったように思うのです。

JPN

日本

「餅は餅屋」ではいけない。あらゆる手を尽くす心構えで日本再興へ

平成時代は「失われた30年」といわれます。事実、日本経済は低迷を続け、デフレも延々と続いています。

ひとりあたりの名目GDPは、1995年のG20のなかでのトップから、2018年には7位に後退しました(国際連合調べ)。2020年5月10日の日経平均株価は、31年前の1989年の約半値です。

アメリカのビジネス雑誌『フォーチュン』が発表する「フォーチュン500」におけるトップ100の企業を見てみると、1995年には日本企業は41社ランクインしていましたが、2019年は8社にとどまっています。

グーグル、アマゾン(Amazon)、フェイスブック(Facebook)、アップルのGAFAに、マイクロソフト(Microsoft)を合わせた5社の時価総額の合計は、2020年5月8日、東証一部上場企業すべての合計額を超えました。

これらの指標を見れば、たしかに惨憺《さんたん》たる結果です。

さらに日本は、2008年からは人口が減少に転じ、世界でもっとも高齢化が進んでいる国となっています。

2019年5月1日、新しい時代「令和」が幕を明け、「失われた30年を取り戻す」という、そんな機運が高まっていました。令和になってからの初めての年明け――しかし、そこに待っていたのはコロナショックでした。

飲食店は営業自粛で全国の数万店舗が存続の危機にあります。思うように業務を行えない企業も悶《もだ》え苦しんでいます。学校に行けない子どもたちが日本全国で何百万人とあふれかえり、学習の遅れ・学力の低下が問題視されています。未知のウイルスに対し、政府の対応も完璧ではありません。

失われた日々はまだ続くのだろうか？　コロナショックから、ただ打撃を受けるだけなのだろうか？　これまでの30年間でわたしたちが学ぶことはなかったのだろうか？　この危機を、「日本2・0」へと生まれ変わる契機にできないものだろうか？

ここでの重要な視点は、この危機からの「復旧」を目指すのではないということです。

復旧とは元通りになることです。そうではなく、**新たに生まれ変わり、より強い「日本2・0」として「復興」しなければならない**のです。

GDPなどドルベースで換算される指標などはいったん無視し、日本が復興する道筋をこの危機だからこそ全国民で議論し、それをみんなで共有し、実行に移すべきときだと思うのです。

その道筋を示してくれている言葉を引用しましょう。

2020年4月10日、自動車工業4団体（日本自動車工業会、日本自動車部品工業会、日本自動車車体工業会、日本自動車機械器具工業会）の合同会見において、日本自動車工業会の豊田章男《とよだあきお》会長は次のように語りました。

「わたしが生まれる前、終戦時の話ですが、戦争でも人が減り、工場も失った。トヨタは、それでも、なんとか生き延びていくために、つくれるものはなんでもつくったそうです。鍋やフライパンをつくり、さらには工場周辺の荒地《あれち》を開墾《かいこん》して芋や麦までつくっていました。スバルさんも、農機具や乳母車《うばぐるま》、ミシン、バリカンなど、あらゆる生活品をつくっていたとも伺いました。売る車がない販売店も、食器などなにかしら生活に必要なものを仕入れ、人々に売っていたそうです。我々の産業には、生き残るための粘り強いDNAがあるはずです。なんとしても踏ん張って、生き残ってまいりましょう！　そして、春を迎えたとき……すなわち、コロナウイルスが終息したとき……。さあ！　これから！　外に出られる！　というときに、経済をいち早く復活させる一番の原動力になっていきたいと思っております。冬だからといって縮こまっていたら、足腰が弱ってしまいます。とにかくいまやるべきことを、しっかりやってまいります」

「餅は餅屋」どころか、餅屋は餅を焼いているだけではいけないのです。いまできるあらゆることを考え、一人ひとりが行動に移すしかありません。コロナショックによって、企業や店舗は顧客を失いました。売上を大きく落としました。すでに、事業が成り立たなくなった企業や店舗もたくさんあります。

そして、本当に残念なことに、命を落とした人もいます。

でも、我々にはまだ残された豊富な人材がいる――。

日本全国に広がる日本のモノづくりや製造業の工場では、マスクの生産だって可能です。自動車工場であれ、家電工場であれ、やる気になれば転換できます。人工呼吸器などの専門的な機器を製造できる場所も数多くあります。ウェブサービス、アプリサービスを提供している会社は、ウイルスに対抗するビッグデータを集積する機能を付加することも、開発することもできる。

いつもの餅ではなく、ウィズコロナ、アフターコロナの社会が必要とするモノやサービスを生み出せる人材が、日本にはたくさんいます。

わたしは1975年に生まれました。たったその30年前、日本は焼け野原でした。第二次世界大戦で日本が失った人材は約310万人です。人材を失い、工場も破壊され、なにもないところから立ち上がってきました。それが日本という国の事実です。戦後の復興は目覚ましく、わずか19年で東京オリンピックを開催しました。そのジャパンスピリット、そのDNAを、わたしたちはたしかに受け継いでいるのです。

失われた30年のなかで、経済指標は停滞したものの、日本はそれなりの経済大国で、それなりの暮らしを満喫でき、それなりの豊かさが継続していました。一方、アベノミクスが標榜する好景気や経済の発展を肌で感じることなく、この数年間を生きてきたことも事実です。

わたしたち日本人は、ある種、**「現状の安定」という名の停滞に漫然と構え、がむしゃ**

らに動くということを忘れていた気がします。わたしは、精神論で日本を「日本2・0」に生まれ変わらせようといいたいのではありません。

あなたにとっての、餅ではないなにかをゼロベースで考えてみてはいかがでしょうか?

きっと、**あなたの潜在能力によって生み出せるものがあるはず**だから――。

人間という生き物は、変化を異様におそれます。毎朝通勤電車に揺られ、都心のオフィスに通う。日々のノルマを必死に追い、小さな成果に達成感を覚える。これが、コロナ以前の企業体質に最適化した働き方であり、ビジネスであり、街であり、国でした。その環境でできあがったものは、「そういうもの」だという暗黙のルールのなかでなんとなく回っていました。

それを、国ごとそっくりつくり替えるという変化には、多くの人がおそれを感じるにちがいありません。しかし、コロナショックという〝外圧〟は、その変化を断行せねば未来が成り立っていかないという強烈なまでの危機意識をわたしたちに植え付けました。

これほどのチャンスはないのではないか――わたしは心の底からそう思っています。日本を「日本2・0」につくり替えるチャンスが、いま目の前にあるのです。

人類

「ウィズウイルス」で、人類は生まれ変わる

誤解をおそれずに、〝あえて〟いうならば、新型コロナウイルスは〝幸運にも〟２００を超える国・地域で感染が拡大しました。この問題は、すべての国にとってトップイシューとなっています。

これほど多くの国がひとつの課題について深く議論し対策を講じているタイミングは、有史以来、初めてのはずです。

新型コロナウイルスの感染者は、全世界で約６００万人――アメリカだけでも約２００万人います（２０２０年6月14日時点。ジョンズ・ホプキンズ大学調べ）。世界最大の被害を受けているアメリカは、６００兆円にも及ぶ経済対策を講じます。世界は、２００８年のリーマンショックよりもあきらかに大きく、１９２９年の世界恐慌に迫るか、それ以上のインパクトを受けています。

これまでであれば、アメリカは世界の危機にはグローバルリーダーとして各国の支援に乗り出してきました。しかし、いまのアメリカはほとんど自国を優先し、グローバルリーダーの役割を担おうとはしていません。

その一方、今回の危機の発生源である中国が、もっとも早く危機を乗り越えた国となりました。アメリカ、イタリア、イギリス、そして日本などがコロナショックへの対応をまだまだ最優先事項としなければならない「戦争状態」にあるなかで、中国はある程度の「平時」を取り戻しつつあるのです。

端的にいうならば、中国はほかの先進国に比べ、現在ゆとりが生まれています。それによって、マスクの大量生産システムを自国内でつくり上げ、危機におちいっている国々にそれを配布する「マスク外交」を行うなどしました。

かつてはアメリカが担った、グローバルリーダーとして各国を支援する役割を、アメリカが危機に対応している隙をついて中国が実現している構図です。その支援を快く受けている欧州の国は少数ではありません。

危機の発端の国が、蓋を開けてみればもっともグローバルリーダーに近い存在へとステップアップしている。そんな構造変化に対する危機管理対応なのか、アメリカは今回の新型コロナウイルスが中国の研究機関を発生源とする人工ウイルスだという主張を繰り返しが見られます。米中間だけでなく、欧州やWHO、日本も交えて疑心暗鬼におちいったやり合いました。

他方では、北京やロサンゼルス、インドのガンジス川流域など、自動車の移動や工場の稼働による公害問題があった街において、人々の外出自粛によって大気や水質が綺麗になったというレポートが相次いでいます。大気や水質の汚染がどの程度緩和されたのか、まだその正確な分析結果は公表されていません。

第3章でも少し触れましたが、2011年に公開された『コンテイジョン』(スティーブン・ソダーバーグ監督作品)という映画は、今回のコロナ危機を予言したような内容でした。新型コロナウイルスのような未知のウイルスが、世界中で感染爆発を起こす様を描いたものです。

劇中では、元の保菌動物はコウモリでした。工場を建設するために森林伐採が行われ、住処を追われたコウモリがブタに接触します。そのブタがいたのは、人間が大量に消費する豚肉を生産するための養豚場。ブタは食肉となって中華料理店のシェフの手にわたり、シェフとひとりの女性との握手によって、人への感染が広まっていきます。

現実世界においても、H1N1のような鳥由来・豚由来の新型インフルエンザは、毎年のように新たなタイプが生まれています。増え過ぎた人類の食欲を満たすべく、劣悪な環境で鳥や豚を飼育する工場があるためです。

環境と、その環境でつくられる食料――それと、ウイルス。これらは密接につながっているのです。そして、ウイルスがこれほどの規模の生命の危機と経済の危機をもたらすということは、これらの関係性は、すべての人類にとっての「第1の課題」となり得るものだと考えておかねばなりません。

ウイルスは、イシューではありません。ウイルスは、あくまでも〝結果〟です。残念なことに、ウイルスがもたらされたのには、わたしたち人類の地球の扱い方に原因がありました。**わたしたちが身勝手に地球を扱ってきた、その結果こそが、ウイルスによる生命と経済の危機**だということです。

ウイルスに対抗する考え方はもちろん必要ですが、それ以前に、**ウイルスという結果を生まない、新しい地球との向き合い方を模索するべき**です。そんな、「人類2・0」に、わたしたちは進化しなくてはなりません。

もしも、地球外生命体が地球を攻めてきたら、世界各国は連携し、ひとつになって戦うでしょう。ただし、地球にたどり着くことができる科学技術力を持っている時点で、その地球外生命体は確実に人類よりも強いはずです。人類は滅亡するほかありません。

そんなSF映画のようなことが起こったらそれは大変ですが、そもそも、地球規模で共通の敵を見出し一致団結することは、本来は考えにくいことでした。

しかし今回、その〝共通の敵〟が目の前に現れたのです。

いや、それはちがうかもしれない。**敵ではなく、人類が「人類2・0」へと進化するきっかけであり、共存すべき相手**なのかもしれません。

アメリカはもう、かつての圧倒的なグローバルリーダーではなくなっています。中国はしたたかにその地位を狙っていますが、情報規制があり、民主主義でないことに反発する国は多数あるでしょう。

いわば世界は、G0（ジーゼロ）の時代に突入したのです。突出したG7もなければ、G20もない。**ウイルスを前にして、わたしたち人類は同じスタートラインに立った**のです。

この絶好の機会を逃してはなりません。数十億人がインターネットで、スマートフォンでつながる情報社会のいまこそ、世界全体で信頼と団結力を高めるときなのです。

第4章

人類2.0

２０２０年が、わたしたち人類が「人類２・０」にアップデートされはじめた年だと、後世の歴史家が評価する年に変えていくべきです。

それが、今日という時代を生きるわたしたちに課せられた使命です。

Epilogue

これからの「正しさ2・0」の話をしよう

新型コロナウイルスのような未知のウイルスが与える影響は、すべての人にとって生命の危機と経済の危機の両方の側面があります。

4月7日に日本で緊急事態宣言が出されてから5月25日に解除されるまでの約1カ月半、ソーシャルディスタンスの徹底と外出自粛が行われました。これまでで国内におけるもっとも多い1日の感染者数は、4月11日の720人。そこから徐々に数を減らし、5月後半には東京でも感染者数が一桁台の日が出るなど減少しました。

しかし、飲食店やホテル・旅館の廃業などに代表される「コロナ倒産」や従業員の解雇、収入激減によって困窮する人が多く現れています。

北欧のスウェーデンは、6月15日時点で5万1000人を超える感染者、4800人を超える死者を出しています。人口が1022万人のスウェーデンにとって、これは極めて大きな数字です。

しかし、人口10万人あたりの死者数で見たとき、その数字は特別多いわけでもありません。スウェーデンが人口10万人あたり48人に対して、全土でロックダウン（都市封鎖）しているスペインは人口10万人あたり58人、イギリスでは人口10万人あたり63人という数字です。

スウェーデンは、ロックダウンも大掛かりな外出自粛もせず、飲食店などは通常営業を続けました。にもかかわらず、死者数はロックダウンしたスペインやイギリスのほうが多かった。経済的な被害は、最小限に抑えられているのかもしれません。

ソーシャルディスタンスとは、本当に有効なのでしょうか？

２０２０年６月８日時点で都道府県全体の検査数は厚生労働省集計で累積51万７７５０件でした。当初、緊急事態宣言が解除される予定だった５月６日前後３日間の検査数は１万７５７８件（1日平均５８００件）で、陽性判定は３２２人で約２％でした。

そもそもこの検査数のデータは正しいのでしょうか？

日本の1日の検査数は多いのでしょうか、少ないのでしょうか？

アメリカでは、3月30日時点で検査数が100万件を突破しました。3月8日時点での日本の累積感染者数は522人で、アメリカは514人とほとんど同じでした。そこからアメリカは、22日間で約100万件の検査をしたことになります。これは、1日平均で約4万5000件になります。

3月30日時点での日本の検査数は3万9862件でした。1日平均で約1800件。人口約1億2600万人の日本に対して、アメリカは約3億2700万人います。

日本もアメリカのように、22日間で約100万件の検査をするべきだったのでしょうか？

世界各国からは、次のようなニュースが飛び込んできます。「有効なワクチンの開発の目処がたった。臨床試験に移る」。そんなワクチンに関するニュースは、毎日のように配信されてきます。たとえば4月10日、米医学誌『ニュー・イングランド・ジャーナル・オブ・メディシン（NEJM）』によると、レムデシビルの投与を受けた重症患者53人のうち、フォローアップ期間の中央値である18日間に、68％が呼吸のサポート度合いに改善を示したそうです。

こうした情報を、わたしたち一般人はどう受け取ったらいいのでしょうか?

アメリカに目を向けると、トランプ大統領は2020年4月時点で、抗マラリア薬「ヒドロキシクロロキン」を推奨していました。生物医学先端研究開発局(BARDA)の局長のリック・ブライト氏は「科学的メリットがない薬(ヒドロキシクロロキン)やワクチン、そのほかの技術に対してではなく、安全で科学的に検証された解決策に資金を投じるべき」だと主張し、解雇されます。しかし、5月20日には、トランプ大統領自身が同薬の服用をやめることを表明しました。

どのワクチンが本当に効果的なのでしょうか?

抗体についても続々とニュースが入ってきます。

4月20日、スタンフォード大学の調査結果として、人口200万人のカリフォルニア州サンタクララ郡において、ランダムサンプル約3000人を分析したところ、抗体を持つ人の割合が2・5%から4・2%存在すると発表されました。これは、当時のアメリカにおける全体の感染者の50倍から85倍程度となり、大きなニュースとなりました。しかし、翌日には約３０００人のサンプリングに偏りがあるのではないかという指摘が入り、調査結果の抗体保有率を押し下げた修正レポートが出されました。

続いて、アメリカでもっとも深刻な状況におちいったニューヨーク州にて、同じような抗体検査の結果が２０２０年4月24日に公表されました。それによると、13・９％もの人が抗体を持っているという結果でした。これはもう、とてつもなく大きい数字です。クオモ州知事も、この結果を引用した記者会見を行っています。

この結果が正しいとするならば、そのときすでにニューヨーク州だけで約２７０万人の感染者が存在し、その時点で、アメリカ全土で５・７％とされていた死亡率も０・１％程度かもしれないということになるわけです。仮にそこまで感染していたとするならば、この新型コロナウイルスの感染力は凄まじく大きかったということです。

正しい抗体保有率は、どうしたら捕捉できるのでしょうか？

日本では、すべての世帯にマスクを2枚ずつ配る政策が実行されました。申請がなくとも全世帯にマスクを配るというのは、世界で唯一の政策です。これにより、高額での転売が横行していたマスクの市場価格が抑えられたという話もあれば、届くのを待っているうちにマスクが市場に十分に供給されていたという話もあります。

この政策には、どれほど効果があったのでしょうか？

いったいなにが正しいのでしょうか？

これだけ多くの情報がインターネット上に公開され、いつでもどこにいてもアクセスが可能であるにもかかわらず、わたしたちには、見聞きする情報のなかでなにが正しいのかまったくわかりません。

結局、**正しさとはわたしたち自身の心が決めること**なのだと思います。

わたしたちは知っていました、コロナ以前から――。

SNSに流れてくる情報に信憑性《しんぴょうせい》がないことを。
自国の政府が推進する政策の多くに賛成できないことを。
危険があるのに、原子力発電所が動いていることを。

毎年世界で100万人規模の人が交通事故で亡くなるとしても、自動車を使い続けることを。

二酸化炭素の排出が環境に深刻な影響を及ぼすと警鐘を鳴らす声と、地球規模の環境の変化からすれば影響は皆無だとする主張があることを。

この100年で多くの生物が絶滅し、毎年のように絶滅危惧種が増えていることを。


そして2020年、世界は知りました。


わたしたち21世紀の人類は、未知のウイルスへの対応策をまったく知らないことを。

各国政府も、あらゆる国のあらゆる分野の学者も、対応策を熟知していないことを。

最前線で人命救助に励む医療従事者たちが、医療行為の過程で感染し亡くなってしまった悲しい現実を。

ソーシャルディスタンスがベストな選択肢かどうか、誰も知らないことを。

21世紀——人類は40億人以上がスマートフォンを使い、日々モバイルインターネットを駆使しています。AIはあらゆる作業を代替するように発展してきました。探査機は、海王星、冥王星を超え、太陽系の外に進出するまでになりました。ドローンは空を飛び、空飛ぶ自動車もいつの日か販売が開始されることでしょう。

しかし、**人類はウイルスについて無知**でした。

街も、国も、人類も、誰もが無知でした。

新型コロナウイルスは、わたしたちの無知を教えてくれました。

無知の知（Ignorance of knowledge）――。

これほどまでに全人類が同時にノックダウンされたのは、有史以来、初めてのことだと思います。

この約半年間、人類の多くがリングに倒れ臥《ふ》しました。

しかしいま、自分たちの無知を悟ったわたしたちは、「人類2・0」となって立ち上がります。

まだ、10カウントはコールされていません。

一人ひとりが新しい「働き方2・0」を見出し、各業界が総力を挙げて「ビジネス2・0」のチャンスをつかみ、「お金2・0」と向き合って価値をとらえ直す。「街2・0」をつくり、「国2・0」をつくり、そして、「地球2・0」をつくる。

無知を知り立ち上がったわたしたち「人類2・0」は、昨日よりも確実に強くなっているはずです。

おわりに
失ったものに対する様々な想いを胸に、それでも希望を抱いてわたしたちはこれからの新世界を生きていく

本書を執筆するきっかけになったのは、わたしが個人的に公開しているノート（note）への記事投稿がきっかけでした。4月18日の夜中に、「アフターコロナ世界はどう変わるのか、9つの視点」(https://note.com/noritaka88ta/n/n3ed4d025a62e）という記事を公開したところ、4月20日の朝には5万人を超える読者を一気に獲得したのです。その記事は、フェイスブックやツイッターなどで、瞬く間に拡散しました（この記事は、6月8日現在で25万人以上に読まれています）。

予期せぬ反響があったため、4月27日の午前にパート2を公開しました。

すると、4月27日15時19分、本書の編集者である岩川悟さんより出版に関するオファーのメッセージが届きました。実は、岩川さんとは本が出版された今日に到るまで、まだリアルでお会いしたことがありません。オファーを頂いたときが、〝初対面〟（初メッセージ）

でした。

その日の17時過ぎ、わたしは「刊行に興味があります。まずはズームで打ち合わせしませんか？」と返事をします。

そして、プレジデント社の石塚明夫さん、柳澤勇人さんを含めたオンラインミーティングが実現したのは、2日後にあたる4月29日の16時。約1時間のミーティングでした。そこで出版のコンセプトについて大枠の方向性が決まりました。同時に、出版する方向で動くことを決めました。もちろん、石塚さんと柳澤さんともいまだに会ったことはありません。

5月1日20時59分。わたしの元に、本の章立て構成案が届きました。「目標として9万文字程度の本にしたい」というメッセージとともに。

コロナショックによって、世界中の人が苦境に立たされている。自分の言葉が、少しでも危機に直面している人の助けになればいい。いち早く本書を多くの人に届けねばならない。そう考えました。

そこでわたしは、「本書をライブ感覚で執筆し、その執筆の進捗を限定公開して進めるのはどうか」というアイデアを思いつきます。そうすることで、自分自身にプレッシャーを与え、本を書くスピードを上げたいと考えたのです。

公開する先は、約100人の会員がいるわたしのオンラインサロン「新世界アフターコロナ 答えのない時代の生き抜き方」です。

グーグルドキュメントを準備し、5月2日から公開執筆を開始しました。

その執筆開始のタイミングは、くしくもゴールデンウィークに突入する直前のことでした。そして、幸か不幸か、今年のゴールデンウィークは外出自粛の緊急事態宣言中にあったのです。わたしは家に巣篭もりし、執筆に取り掛かりました。

5月2日の夜から書きはじめ、初稿が完成したのが5月11日の昼下がりのこと。そして同日、その初稿を岩川さんの元に送ったのです。4月27日に出版のオファーをもらってから、ちょうど2週間という期間の出来事です。

そして、何度かにわたる校正作業やカバーデザインに関する詰め。そのほか、細かい一連の作業が続き、いま本書は店頭に並んでいます。

今日に到るまで、まだ岩川さん、石塚さん、柳澤さんにはリアルでお会いしていません。ぜひ、出版記念の打ち上げの会食をしたいところではありますが、コロナが完全に落ち着いて、安全が確保されてからでも遅くはないでしょう。**本を制作することは、リアルで会わなくともできます。これもまた、コロナ危機が変えたひとつの出来事なのではないでし**

ょうか。

本書を書き上げるにあたり、岩川さん、石塚さん、柳澤さん、サロンメンバーの方々からのアドバイス、ご助力に感謝致します。ここであらためて御礼申し上げます。治療現場の最前線で戦っている医療従事者の皆さまにも深く感謝申し上げます。その不断の努力があったからこそ、いまわたしたちは安心を得ているのだと実感しています。

わたし自身、社員が10人いるスタートアップ企業の経営者です。このコロナ危機で、会社存続の瀬戸際が続いています。もちろんこれは、わたしの会社だけの問題ではありません。日本全国、世界中には苦境に立たされている数多の人がいます。

なかには、会社の清算という道を選んだ人もいるでしょう。経営する飲食店を手放すことになったり、長年勤務していた企業からリストラにあったりした人もいるはずです。就職の内定が取り消しになった人、学生生活最後の総決算となるスポーツ大会が中止になった人、この新型コロナウイルスが原因で身内や知人を失った人もいることと思います。

世界中の経済に大打撃を与え、実態が正確につかめないほどの失業者を出し、たくさんの命を奪い、社会の仕組みまで変えた新型コロナウイルス。その脅威は、これまでのわたしたちが持っていた価値観を変えました。そして、これから訪れる新世界に順応するべく、生き方さえも変えていく必要があります。

しかし、変わらないものもあります。

それは、わたしたちの前には「未来」があるということです。わたしたちはこうしていま生きています。誰もが等しく、未知の可能性を秘めた未来を持っています。未来をよりよく変えていけるかは、今日からの一歩にかかっているのでしょう。失ったものに対する様々な想いを胸に、そしてそれを糧にして歩きはじめるのです。


本書では、アフターコロナの次にくる新世界――そこでの生き抜き方の手がかりを書いたつもりです。

ひとりでも多くの人にとって、新世界を生きる道標となれば幸いです。

２０２０年８月

小林慎和《こばやしのりたか》

【参考資料】

書籍

・冨山 和彦『コロナショック・サバイバル 日本経済復興計画』(文藝春秋)

・福澤 諭吉 (著)、齋藤孝 (翻訳)『現代語訳 学問のすすめ』(筑摩書房)

Web

・COVID-19 Dashboard by the Center for Systems Science and Engineering (Johns Hopkins University)

・新型コロナウイルス 日本国内の最新感染状況マップ・感染者数 (JX通信社)

・(目覚める資本) 現預金偏重 日本が突出 (日本経済新聞 2014年8月17日)

・The next outbreak? We're not ready by Bill Gates (TED 2015年3月)

・首都圏オフィスへの通勤時間は平均49分、通勤ストレスが低いほど仕事満足度が高い傾向 (不動産ジャパン 2019年6月26日)

・ライブ・エンタテインメント市場、前年比13.8%増で6,000億円に迫る勢い／ぴあ総研が2018年調査結果 (確定値) を公表 (ぴあ 2019年9月12日)

・19年12月の東京都心オフィス空室率は1.55% 過去最低続く (日本経済新聞 2020年1月9日)

・【武漢肺炎】新型コロナウイルスが蔓延している武漢の現在の様子を記録した映像作品です。(【中国人のぼっち】シナハゲ日記 2020年1月25日)

・PM Lee Hsien Loong on the COVID-19 situation in Singapore on 8 February 2020 (Prime Minister's Office Singapore 2020年2月8日)

・大前研一が新型コロナウイルスを解説「大前研一ライブ ＃1008」より (BBTビジネスチャンネル 2020年3月3日)

・31 questions and answers about COVID-19 (GatesNotes 2020年3月19日)

・Coronavirus: The Hammer and the Dance (Tomas Pueyo 2020年3月20日)

・新型コロナ感染者、発症から死去まで平均「8日間」イタリア調査 (CNN 2020年3月22日)

・ダウ平均2112ドル急騰、コロナ対策法案可決に期待 (ロイター 2020年3月25日)

・Boris Johnson confirms he tested positive for coronavirus (CNN 2020年3月27日)

・コロナ後の世界に警告「サピエンス全史」のハラリ氏 (日本経済新聞 2020年3月30日)

・コロナワクチン、米J&J9月治験へ 早期実用化に曲折も (日本経済新聞 2020年3月31日)

・3月末の外貨準備高、1兆3661億ドル 前年比5.8%増 (日本経済新聞 2020年4月7日)

- India coronavirus lockdown 'cleans up' Ganges river（BBC Hindi 2020年4月21日）
- 隔離生活で求められる自然発生的なコミュニケーションを生むソーシャルアプリ（TechCrunch 2020年4月25日）
- 従業員減、2000人上積み 構造改革を加速―三菱UFJ銀（時事通信社 2020年4月26日）
- 会社のオンライン飲み会は参加したくない？年齢別にみると意外な結果が。生の声をそのまま公開します（合同会社SNAPLACE 2020年4月27日）
- Global coronavirus death toll could be 60% higher than reported（FINANCIAL TIMES 2020年4月27日）
- 新型コロナウイルスは、レストランのあり方まで一変させる：ポートランドで始まったシェフたちの挑戦（WIRED 2020年4月28日）
- 三谷幸喜『12人の優しい日本人』オンライン読み会を生配信、近藤芳正を発起人に、初参加の吉田羊ら12人がリモートで読み合わせ（SPICE 2020年4月29日）
- コロナを機に変わる価値基準、日本的経営の再評価も（JBpress 2020年4月30日）
- 第1-3回「新型コロナ対策のための全国調査」からわかったことをお知らせします。（厚生労働省 2020年4月30日）
- 消毒用の酒、免税へ「飲用不可」の明記条件―政府（時事ドットコムニュース 2020年4月30日）
- コロナ倒産、大打撃の3業種（帝国データバンク 2020年5月1日）
- [FT]世界の超低金利、どうぶつの森に波及（日本経済新聞 2020年5月1日）
- 世界の企業、1～3月4割減益 日欧は7～8割減（日本経済新聞 2020年5月2日）
- 米FDA、スイス製薬大手ロシュの新型コロナ抗体検査薬に緊急使用許可（Newsweek 2020年5月4日）
- ウイルス、武漢研究所説に「多くの証拠」米国務長官（日本経済新聞 2020年5月4日）
- 今後も在宅勤務希望が８割＝地場社調査（NNA ASIA 2020年5月5日）
- 山梨・高速バス移動女性の新型コロナ陽性発表・報道に見る「私刑」の構図（YAHOO! JAPAN個人ブロガー／ふじいりょう 2020年5月5日）
- 大阪府 対策会議、吉村知事「独自の解除基準」は（TBS新型コロナウイルス 特設サイト 2020年5月5日）
- BLOCK.FESTIVAL（2020年5月5日）
- 〔コロナ後の日本〕自動車はＶ字回復の可能性、「所有」の価値を再評価＝中西孝樹氏（ロイター 2020年5月6日）
- 【サイボウズ社長・青野慶久】全員オンラインで気づいた情報格差。「僕はもう出社しちゃダメだ」と大反省（BUSINESS INSIDER三木 いずみ 2020年5月7日）
- 第15回新型コロナウイルス感染症対策本部会議（茨城県 2020年5月7日）

・コロナ禍のかく乱でも円高優勢、世界改善過程のドル安で円高も
（ダイヤモンドオンライン 2020年5月7日）
・ナショナリズムの台頭が新型コロナウイルス対策にとってマイナスに ——
ビル・ゲイツ氏が指摘（BUSINESS INSIDER、Isobel Asher Hamilton 2020年5月7日）
・Robot reminds visitors of safe distancing measures in Bishan-Ang Mo Kio Park
（THE STRAITS TIMES 2020年5月8日）
・持続化給付金、8日に2.3万件・280億円を支払い見込み＝梶山経産相
（ロイター 2020年5月8日）
・白血病女児救急帰国 韓国外相が日本に謝意 インドから臨時便手配
（毎日新聞 2020年5月8日）
・接触確認アプリ、所管を厚労省に アップル・グーグルの方針受け
（日本経済新聞 2020年5月8日）
・ユニクロが大型店51店舗の営業を再開、入店時の検温を徹底
（FASHIONSNAP.COM 2020年5月8日）
・米雇用4月は2050万人減、大恐慌以来最大 失業率は戦後最悪14.7％
（ロイター 2020年5月8日）
・米国、感染拡大で「暗黒の冬」に「追放」されたワクチン専門家が警鐘
（BBC 2020年5月15日）
・既存店異常値続く「緊急事態宣言」が影響 4月量販業績（食品新聞 2020年5月25日）
・【特集】台湾、外国人観光客の受け入れ開始は早くて10月 コロナ封じ込め成功した
台湾の「３段階緩和策」を徹底解説（Airstair 2020年5月25日）
・スペイン、外国人観光客受け入れへ 7月から隔離措置解除（BBC 2020年5月25日）
・台湾人出国のため…JALが霧から臨時便（日テレNEWS 2020年5月26日）
・７月にも「国内初」の治験へ…"新型コロナ"のワクチン、
阪大とベンチャー企業が共同開発（カンテレNEWS 2020年5月26日）
・中国、武漢の市場と研究所をコロナ発生源説から排除
（THE WALL STREET JOURNAL 2020年5月27日）
・Coronavirus Resurgence Threatens Fragile U.S. Economic Recovery
（Bloomberg 2020年6月30日）
・スウェーデン、対応を反省 新型コロナで独自路線
（時事ドットコムニュース 2020年6月3日）
・病院での集団感染102件発生 医療関係者の感染は500人超
（東京新聞 2020年6月11日）
・山中伸弥による新型コロナウイルス情報発信
・SimilarWeb Coronavirus Data & Insights Hub

・Total confirmed COVID-19 deaths per million people
・新型コロナウイルス情報室（Quora）
・「この記録はたぶん永遠に破られない」2020年のゴールデンウィーク、全国の渋滞の数がすごいことになってた「ほぼ不可能な数字」（togetter 2020年5月9日）
・此花千鳥亭 ZOOM寄席＆此花千鳥亭 テレワーク寄席＆此花千鳥亭へのご協力
・Number of social network users worldwide from 2010 to 2023
・新型コロナウイルスの感染拡大を受けた、自動車工業4団体によるメッセージ（TOYOTA 2020年4月10日）

レポート

・2017年の家計金融資産動向の回顧、大和総研、2018年2月8日
・総務省統計局「人口推計 都道府県別人口（各年10月1日現在）－総人口（大正9年～平成12年）」
・国土交通省観光庁 統計情報・白書「訪日外国人旅行者数・出国日本人数」
・国土交通省観光庁 統計情報・白書「旅行・観光消費動向調査」
・国土交通省観光庁 統計情報・白書「宿泊旅行統計調査」
・総務省統計局「平成26年経済センサスー基礎調査」
・総務省統計局「労働力調査（基本集計）」
・総務省統計局「平成27年国勢調査」
・経済産業省「商工業実態基本調査」
・経済産業省「キャッシュレス・ビジョン 平成30年4月」
・日本銀行調査統計局「資金循環の日米欧比較 2019年8月29日」
・Travel in the New Normal

論文

・埼玉医科大学病院、菊地博達「わが国の集中治療室は適正利用されているのか」（日集中医誌 2010年）

イベント

・Venture Café Tokyo主催「アフターコロナ 討論会」（2020年4月8日）

小林慎和（こばやし・のりたか）

株式会社bajjiファウンダー兼CEO。ビジネス・ブレークスルー大学准教授。工学博士。1975年生まれ、大阪府枚方市出身。つくば市在住。大阪大学大学院卒業後、株式会社野村総合研究所に入社し、経営コンサルタントに従事。2011年、グリー株式会社に移り、海外事業開発を担当。2012年末にシンガポールにて起業。以来、アジアにて複数社を起業する。倒産、会社売却をした後、2016年日本に帰国し、東京にて株式会社LastRootsを設立。2019年、同社を上場企業の子会社化し代表を退任。2019年4月、株式会社bajjiを創業。2015年、Asian Entrepreneurに日本人として唯一選出され、2016年にはIBM Blue Hub賞を受賞。2017年、Deloitte Technology Fast500にてアジア全体で292位、シンガポール国内で3位となる。オンラインサロン「新世界アフターコロナ ～答えのない時代での生き抜き方～」を運営。著書には、『海外に飛び出す前に知っておきたかったこと』『リーダーになる前に知っておきたかったこと』（ともにディスカバー・トゥエンティワン）などがある。

人類2.0
アフターコロナの生き方

2020年8月7日　第1刷発行

著者　小林慎和
発行者　長坂嘉昭
発行所　株式会社プレジデント社
〒102-8641
東京都千代田区平河町 2-16-1 平河町森タワー13階
https://www.president.co.jp
電話　03-3237-3731（編集・販売）

装丁・本文デザイン　齋藤良太
装画　iStock photo
企画・構成　岩川 悟（合同会社スリップストリーム）

販売　桂木栄一　高橋 徹　川井田美景　森田 巌　末吉秀樹
編集　柳澤勇人
制作　関 結香

印刷・製本　中央精版印刷株式会社

ISBN978-4-8334-4028-8
Printed in Japan